Respuestas a

100 preguntas sobre
la adolescencia

1

colección  adolescentes

adolescentes

Col·lección dirigida por Enric Pons Seguí

«Surgida de **HEBE. Fundació Valenciana. Salut Mental i Adolescència,** la colección **Adolescentes** se propone, por un lado, una reflexión de conjunto que permita una comprensión amplia sobre la adolescencia desde una perspectiva psicoanalítica y un estímulo para la exploración de los verdaderos interrogantes de esta etapa de la vida, y por el otro, aportar respuestas nuevas que sean de utilidad a todos aquellos que tienen una relación con los adolescentes: padres, profesores, psiquiatras, psicólogos, pediatras, etc.

La adolescencia representa en la vida de cada uno un momento excepcional. Una sola vez en la historia de una persona se asocian cambios físicos, psíquicos y cambios sociales importantes. A diferencia de la infancia o de la vejez, en donde las evoluciones se producen de manera progresiva o parcial, la adolescencia es una conmoción compleja, en ruptura con el período precedente. En la actualidad ha adquirido una dimensión singular. En las sociedades occidentales actuales, la adolescencia constituye una generación intermedia entre el mundo de los niños y el mundo de los adultos. Es el modelo del cambio, pero también es el modelo por excelencia de los trastornos del sentimiento de identidad».

FUNDACIÓ VALENCIANA
SALUT MENTAL i ADOLESCÈNCIA

Philippe **Jeammet**

Respuestas a

100 preguntas sobre
la adolescencia

De la infancia a la edad adulta

La vida familiar. La vida social. La vida
afectiva

ISBN 84-96187-24-1

9 788496 187245

Título original: **Réponses a 100 questions sur l'adolescence**
Traducción: Enric Pons Seguí

1ª edición en esta colección: Julio de 2005

© 2002 **Philippe Jeammet**
© 2005 de las características de esta edición:
Edicions del Bullent, SL
De la Taronja, 16 • 46210 Picanya
961590883
www.bullent.net

Diseño: Miquel Mollà
Asesoramiento lingüístico: Joan M. Perujo y Eva Rico
Maquetación: Núria Beneyto
Impresión: Romanyà Valls, S.A.
Pl. Verdaguer • 08786 Capellades (Barcelona)

ISBN: 84-96187-24-1
Depósito legal: B-31340-2005

SUMARIO

Prefacio

La adolescencia es probablemente uno de los periodos de la vida más difíciles de vivir, ya sea para los mismos adolescentes, para sus padres o para los docentes y los educadores… La despreocupación de la infancia no es más que un recuerdo, y demasiadas incertidumbres, dudas y esperas pesan sobre el adolescente para que pueda vivir serenamente este periodo durante el cual está perpetuamente en busca de sí mismo. Todo cambia en él y a su alrededor –su cuerpo, sus vínculos afectivos, sus intereses intelectuales–, sin que el adolescente pueda tener la más mínima seguridad en cuanto a los resultados de estos cambios. Además, a su deseo de conquista se opone la «crisis de la edad media de la vida» de sus padres, que se corresponde generalmente con un reajuste a la baja de sus ideales y ambiciones, lo que oscurece, más que lo aclara, el horizonte del adolescente. Difícil mostrarse contento en esas condiciones, y si el adolescente parece estarlo, a menudo es más bajo la forma de excitación y de huida hacia delante que bajo la forma de un desarrollo real. Alcanzará su pleno desarrollo más tarde, cuando sus primeros éxitos amorosos y profesionales le reaseguren de la realidad de sus capacidades.

Mientras tanto, el adolescente siempre está más o menos confrontado a un malestar basado, en lo esencial, en las paradojas que caracterizan el periodo que está viviendo: las ganas de hacerse mayor unidas a la nostalgia de la infancia, la necesidad de afirmarse unida al miedo de la confrontación con el mundo exterior, las ganas de recibir unidas a la voluntad de bastarse a sí mismo… Estas contradicciones aparentes, aunque se puedan resolver, se traducen, para el adolescente que las vive, en una tensión interna, incluso en un sufrimiento que tiene dificultad de conceptualizar y las padece sin saber verdaderamente de qué están hechas. Reacciona frecuentemente, sea con una actitud de retraimiento (inhibición, repliegue sobre sí mismo, morosidad, depresión), sea con comportamientos exagerados que son tentativas de descargarse de estas tensiones. El conjunto de estas contradicciones aparentes puede resumirse en una sola paradoja que contiene lo esencial: el deseo de los adolescentes de recibir de los adultos la fuerza que les falta, que se opone a la necesidad de autonomía y a sus ganas de afirmarse. ¿Cómo considerar esta contradicción fundamental? Solamente más tarde se aprende que es aceptando nutrirse de los otros como se llega a ser uno mismo.

A pesar de las dificultades de toda clase que habitan la adolescencia, la mayoría de los adolescentes va relativamente bien. Tienen incluso un entusiasmo, una ambición y, sobre todo, una capacidad de adaptación en un mundo en constante mutación que no tienen nada que envidiar a sus mayores y que incluso les falta a muchos adultos. Por eso es desolador ver a algunos de ellos obstinarse en destruir y sabotear, ellos mismos, sus potencialidades, y eso que los que sufren trastornos mentales comprobados son una minoría. Pero, aunque no son siempre patológicas, estas actitudes son patógenas, es decir, terminan por volver realmente enfermos a quienes se encierran en ellas. A factores de riesgo y de vulnerabilidad parecidos en la adolescencia corresponden, sin embargo, destinos muy diferentes: unos hacen de sus debilidades un motor que los empuja a superarse constantemente dando prueba de creatividad; otros, en lugar de subir los escalones del éxito, se hundirán cada vez más en el fracaso. Los encuentros que tengan con los adultos son determinantes en las vías divergentes que tomen estos diferentes destinos, ya que los adolescentes están a menudo en una lógica de todo o nada, tan sensibles al entusiasmo como a la decepción.

Los primeros implicados, cuya influencia va a ser primordial, son evidentemente los padres. Tanto más cuanto, a menudo, todo sucede como si los padres fueran de alguna manera la conciencia del sufrimiento del adolescente, demasiado atrapado en sus contradicciones para poder realmente sentir y poner en palabras este sufrimiento. Pero su comportamiento habla por él y, así, les es devuelta, a sus padres, la preocupación de velar por él. Evidentemente, esta situación es análoga a la de la primera infancia, cuando la madre, a partir del comportamiento del bebé, verbaliza las emociones del niño y establece el vínculo entre sus necesidades y su entorno. Pero la situación, evidentemente, es mucho más complicada en la adolescencia; el adolescente tolera mal esta atención que, por otro lado, no cesa de solicitar. De hecho, la analogía de la adolescencia con la primera infancia no es fruto del azar: la adolescencia es reveladora de la calidad de las adquisiciones de los primeros años de la infancia. Momento en el que, exhortado a tomar su autonomía, el adolescente está ineluctablemente confrontado a realizar su propia evaluación, evaluación de aquello de lo que está hecho, de su riqueza interior, de lo que hay «en el vientre» y «en la cabeza», de la imagen que tiene de sí mismo y que da a los demás.

La evolución de nuestra sociedad favorece actualmente la libertad y el éxito individuales. Genera menos prohibiciones pero exige más del adolescente y de sus capacidades, las exigencias de éxito se han acrecentado tanto, que hacen más insoportable todavía las dependencias afectivas que el adolescente desea y rechaza al mismo tiempo. En estas condiciones no parece extraño que los jóvenes prefieran, para expresar sus dificultades, conductas autodestructivas, que obligan a los adultos a interrogarse constantemente sobre sus capacidades para manejar la relación afectiva y el doble movimiento de rechazo y de deseo que caracteriza la forma en la que los adolescentes reaccionan. Tienen que buscar maneras que hagan la relación tolerable y enriquecedora para sus hijos.

A este objetivo se dedica la presente obra. No se encontrarán «recetas», algo que no podría ser más que engañoso, porque, en este ámbito, más que en ningún otro, el contexto y el espíritu en el que una acción se hace cuentan más que la acción misma. También la coherencia y la continuidad de lo que se hace es lo que le da su sentido y su eficacia. La confianza que une al adolescente con sus padres es probablemente el elemento esencial.

Esperamos que estas cien preguntas y las respuestas que se han aportado ayuden a los padres a encontrar puntos de referencia que les permitan adoptar una actitud coherente e inscribir su acción en una continuidad sin descorazonarse.

Profesor Philippe Jeammet

Capítulo 1

Lo que hay que saber sobre la adolescencia

1. ¿Qué es la pubertad?

La pubertad es un fenómeno fisiológico, inherente a la evolución normal del individuo. Se manifiesta por transformaciones corporales, la aparición de los caracteres sexuales secundarios, que acompañan la maduración de las glándulas sexuales y su producción de hormonas, las cuales son diferentes en el chico y la chica. La procreación es ahora posible.

La aparición de los caracteres sexuales secundarios marca la entrada en la pubertad y permite señalar las diferentes etapas. Son, en algunos aspectos, comunes a los dos sexos: es el caso de la pilosidad pubiana y axilar, más extendida en el chico (aparición de la barba). En el adolescente, la laringe se transforma (aparece la nuez), la voz cambia, el volumen del pene y de los testículos aumenta. En la chica, se desarrollan los senos, aparecen las secreciones vaginales y después sobreviene la regla.

Estos signos secundarios expresan el desarrollo definitivo de los órganos sexuales, que constituyen los signos sexuales primarios, los cuales existen desde el nacimiento y se forman en el curso de la gestación en el feto bajo la influencia de los genes masculinos y femeninos.

El empuje hormonal se acompaña, al principio de la pubertad, de una fuerte aceleración del crecimiento y, después, de su parada total y definitiva, al final de la pubertad, cuando las transformaciones sexuales han terminado y los cartílagos de unión de las extremidades óseas se han soldado. Estos cartílagos de unión son una parte de las extremidades de los huesos largos del cuerpo (fémur, tibia, húmero, radio y cúbito) no osificados que les permite continuar creciendo. Se osifican definitivamente bajo el efecto de una impregnación por las hormonas sexuales, que hacen imposible todo crecimiento ulterior.

La pubertad en el hombre es relativamente tardía en relación a la de los animales más próximos a él en la escala de la evolución, especialmente la de los monos antropoides. En efecto, la madurez física y sexual de éstos se sitúa hacia los 4 o 5 años. A esta edad, las glándulas sexuales del hombre cesan de desarrollarse y retoman su crecimiento en un segundo tiempo: la pubertad. Podemos pensar que esta evolución en dos tiempos –parada del crecimiento glandular mientras que el cuerpo continúa creciendo y reanudación del crecimiento sexual después– ha favorecido el desarrollo del aprendizaje, así como la dependencia afectiva del niño con sus padres. Por el contrario, una práctica sexual más precoz lo habría empujado de antemano hacia la acción en detrimento del pensamiento y de la verbalización.

2. ¿Qué es la adolescencia?

El término adolescencia –del latín adolescere, 'crecer, hacerse grande'– designa este periodo de la vida del hombre que supone la transición entre la infancia y la vida adulta. La entrada en esta nueva fase está marcada por el fenómeno fisiológico que es la pubertad. El final, en cambio, es más difícil de determinar. Y con razón: no coincide con el de la pubertad propiamente dicha. En efecto, la adolescencia como etapa del desarrollo del hombre es un fenómeno a la vez físico y psicológico. Aunque son los fenómenos físicos de la pubertad los que la introducen, la adolescencia propiamente dicha comprende un aspecto psicológico y social esencial.

A la madurez sexual nueva corresponderá la necesidad, para el adolescente, de llegar a ser autónomo en relación a sus padres o de prepararse para serlo. Esta nueva autonomía, a menudo parcial y

Respuestas a 100 preguntas sobre la adolescencia

progresiva al menos en nuestros días, representa un cambio psicológico importante y depende mucho del contexto social y cultural. Hoy en día la adolescencia no es comparable a lo que fue en los siglos precedentes, no se expresa de la misma forma en los países llamados occidentales, en los países de culturas diferentes o en las sociedades llamadas primitivas. El fenómeno puberal, sin embargo, siempre es un proceso más o menos idéntico. Lo que cambia es la forma social o individual bajo la cual se manifiestan estas modificaciones.

Así, la adolescencia es a la vez un fenómeno físico, la pubertad, y un fenómeno psicosocial: la expresión dada por una cultura particular a los cambios fisiológicos que aporta la pubertad a cada individuo.

3. ¿Cuándo empieza la adolescencia y cuándo se acaba?

El inicio de la adolescencia es relativamente fácil de determinar: corresponde a las primeras manifestaciones de la pubertad, es decir, a las primeras expresiones de los caracteres sexuales llamados secundarios.

En cambio, el final de la adolescencia es mucho más difícil de determinar. Ya no se determina en referencia a un fenómeno fisiológico, la pubertad, sino a un fenómeno psicológico, individual y social. Varían, pues, con el tiempo, con los modos de organización social y con las culturas.

Hay que referirse a la historia para ilustrar la constancia de la pubertad opuesta a la diversidad de la adolescencia propiamente dicha, expresión psicosocial de la primera (cf. pregunta 5, p. 25). Nos sorprende por la permanencia con la que las sociedades se han ocupado de enmarcar cuidadosamente este pasaje de la infancia a la edad adulta, como si todas presintieran lo que este periodo, de mutación, de fluctuación, conlleva de apertura posible y, por lo tanto, de peligro potencial para la transmisión de la cultura. Han buscado organizarla ofreciendo a los adolescentes un modelo «iniciático», a la vez balizaje del camino a recorrer y figuración de la transformación que les afecta.

Durante mucho tiempo, la entrada en la vida activa y el compromiso conyugal han sellado el fin de la adolescencia. Hasta estos últimos decenios, un cierto número de pruebas y de ceremonias medían las etapas de la adolescencia y tenían valor de ritos iniciáticos: la comunión solemne, prefiguración del matrimonio –sobre todo para las chicas–, el servicio militar para los chicos, pero también ciertos exámenes escolares, como el certificado de estudios que, en la primera mitad del siglo xx, equivalía, para una mayoría de alumnos, a una entrada inmediata en la vida profesional, papel del bachillerato más tarde.

El contexto social de los últimos decenios ha cambiado mucho y ha contribuido a dar a los adolescentes un lugar cada vez más importante.

Corresponde a la adolescencia de los niños del *baby-boom* de después de la guerra y a la emergencia de una «clase de jóvenes»: los teen-agers. En efecto, esta explosión demográfica coincide con un alargamiento del tiempo de la adolescencia y una disociación creciente entre adolescencia y tiempo fisiológico de la pubertad.

Si la pubertad se anuncia, aunque no siempre como una crisis, al menos como el punto de partida de un cambio innegable, el final de la adolescencia, por el contrario, sería la afirmación progresiva, igual como se produce en los rasgos físicos, de los rasgos de carácter y de los cimientos afectivos y profesionales. Esta afirmación, en tanto que es una reducción de las múltiples posibilidades que ofrece la adolescencia, será más o menos bien recibida.

La adolescencia tendrá, pues, una cierta propensión a alargarse en una postadolescencia que prolonga indebidamente esta moratoria entre la dependencia del niño y los compromisos del adulto. Asistimos, en efecto, a una prolongación de lo que se ha llamado «los estatutos transitorios», que conciernen tanto a los estudios, al matrimonio, al primer hijo, como al alojamiento. Estos postadolescentes, cada vez más numerosos, permanecen en el domicilio parental cada vez más tiempo. Según el INED (Instituto Nacional de Estudios Demográficos), a los 18-19 años, la gran mayoría de los jóvenes vive en el domicilio familiar. Entre 20-24 años, el 50% de las chicas y el 60% de los chicos viven todavía en casa de sus padres, y el 14% de los jóvenes se reinstala con su familia en el curso de los cinco años siguientes al de la salida de la casa familiar (cifras del año 2000).

El alargamiento de la escolaridad, la entrada cada vez más tardía en la vida profesional y/o marital, participan igualmente de esta tendencia. Pero el factor más determinante parece ser la moratoria impuesta por la ligereza y la indeterminación del modo de vida futuro del adolescente. Porque es la primera vez, en la historia de la humanidad, que, a tan gran escala, el destino de una generación no se percibe como si tuviese que ser, en lo esencial, una repetición idéntica del modo de vida de la generación precedente.

El alargamiento de la adolescencia conduciría, pues, a una disociación cada vez más marcada entre la pubertad, etapa fisiológica de la maduración corporal cuya importancia se relativizaría, y el fenómeno esencialmente psicosocial que es la adolescencia propiamente dicha.

Simultáneamente, las relaciones padres-hijos cambian profundamente; las barreras intergeneracionales se borran. La mayor libertad de las costumbres, la fragilidad de los límites y de las prohibiciones, la disolución de los valores conjugan sus efectos con los del crecimiento de las exigencias de éxito individual. Este conjunto de factores abandona de antemano al adolescente a sí mismo, confrontado a sus únicos recursos personales, y le impide encontrar, en la sumisión a las obligaciones o la adhesión a los valores de la sociedad, una vía ya trazada de expresión de sus necesidades de dependencia y de seguridad. Necesidades que, por eso mismo, van a expresarse un día mucho más violentamente.

En lo que concierne a la familia, la evitación de los conflictos y la pérdida de la mediación que representaba el consenso social sobre las reglas de vida favorecen la creación de un ambiente familiar pseudoconsensual y el enmarañamiento de las generaciones. A esto se añaden los efectos del control de la procreación, que permiten programar el nacimiento y elegir el número de hijos. A partir de ese momento, el niño deseado, casi elegido, puede ser objeto de una sobreinvestidura por parte de sus padres. Más que otras veces, está en contacto con su vida privada, sus estados afectivos, y no es raro que, una vez adolescente, sea adherido a su intimidad, es decir, que los padres, por una preocupación de transparencia, lo pongan al corriente de los gajes de su vida privada, aboliendo de ese modo la diferencia de generaciones. El resultado es una cierta «parentificación» de los niños, utilizados con fines de reafirmación afectiva. Los padres pueden buscar en ellos una compensación a sus dificultades personales, ya sean profesionales, amorosas o familiares. Todo eso contribuye a reforzar una situación de osmosis emocional entre el niño y sus padres que acentúa la dependencia afectiva del primero sin que se interponga ningún límite.

Este fenómeno se agrava más en la adolescencia por el hecho de que los padres de adolescentes están a menudo confrontados a su propia crisis, la de la edad media de la vida. El adulto intenta superar su depresión trasladando sus conflictos a los del adolescente, que considera como prolongación de él mismo o como representante de un miembro de la pareja. Eso explica por qué los padres rechazan cada vez más entrar en conflicto con los adolescentes. Quieren antes que nada encontrar en ellos un apoyo y la confirmación de que son buenos padres. Actuando de esta manera, privan al adolescente de su agresividad, impiden su búsqueda, a veces violenta, pero necesaria, de autonomía y la conquista de un mundo que sea el suyo y no confundido con el de sus padres. Es decir: en el interés que hay en la adolescencia se esconde a menudo la mirada nostálgica del adulto que intenta reencontrar su propia juventud, incluso vivir sus deseos a través del adolescente, pervirtiendo así su relación con él.

Podemos, pues, considerar que tanto el crecimiento numérico de la clase de «jóvenes», como la evolución liberal de la sociedad, han cuestionado las reglas educativas que regían hasta entonces las relaciones entre las generaciones. Nuevas formas de mediación han aparecido para gestionar a la vez la distancia relacional y los conflictos entre generaciones. El campo de la psicología representa una de las variantes.

4. ¿Cuándo se hace adulto el adolescente?

Si es fácil señalar el principio de la adolescencia, marcada por los cambios físicos de la pubertad (cf. preguntas 1 y 3, pp. 13 y 17), su fin es bastante más difícil de determinar. Ya no tenemos las referencias de los ritos de iniciación que acompañaban la entrada en el mundo de los adultos (cf. pregunta 5, p. 25). ¿Cuándo se deja de ser adolescente? La dificultad de la respuesta conduce a utilizar cada vez más los vagos términos de *jóvenes* o de *postadolescentes.*

Esta imprecisión actual cuestiona lo que parecía adquirido anteriormente y constituía la especificidad de la vida adulta. Esta especificidad reposaba, en el plano sociológico, sobre los dos pilares de la vida social que constituían la elección profesional y el matrimonio. La inserción en la vida social a través del oficio y el matrimonio inscribía al individuo en el mundo adulto.

Ser adulto se definía, pues, esencialmente, por esta inscripción en el tablero social de manera reconocible y estable. Era hacer elecciones que comprometían el futuro y significaban una cierta ruptura con el pasado y, ante todo, con el mundo de la infancia. Era, evidentemente, adaptarse a la realidad social, pero, esencialmente, para conformarse, o incluso someterse. Era, en el fondo, hacerse razonable y renunciar a soñar su vida. No olvidemos que para muchos jóvenes, hasta un periodo reciente, la adolescencia se reducía a poca cosa. Entraban muy pronto en el mundo del trabajo, a los 14, 15 o 16 años. Los chicos retomaban el oficio de su padre, sin tener la posibilidad de abrirse a un mundo diferente del de su medio de origen, si no venía una guerra que los aplastaba moralmente y, muy a menudo, físicamente. En cuanto a las chicas, la maternidad les daba de hecho un estatus de adulto, cualquiera que fuese su madurez real.

¿Esto significaba, por tanto, que el trabajo de integración de los cambios de la pubertad se había operado y que el duelo de las aspiraciones y de las ilusiones de la adolescencia y de la infancia fue efectivo? Seguramente no. Había más aplastamiento que integración de lo imaginario y de los antiguos deseos. Una parte importante de las dificultades y de los sufrimientos psíquicos de los adultos está marcada por el resurgimiento de lo que ha sido de esta manera vejado. La «crisis de la edad media de la vida», con su cortejo de depresiones, pero también de rupturas y de nuevas elecciones amorosas y profesionales, es la ilustración clásica. Pero no hay que ignorar lo que esta coacción a la adaptación podía tener de seguridad y apoyo, evitando tener que hacer elecciones que aparecían más como una promesa de dificultades que de libertad.

Pero los dos pilares tradicionales de la vida adulta están desestabilizados de forma notable y duradera. ¿Eso quiere decir que los adultos de hoy en día son menos adultos que los de antes? Sería muy aventurado afirmarlo, y más todavía generalizar tal aserción. Estamos obligados a reconocer que las referencias han cambiado y que los criterios anteriores indican más la adaptación, reflejo de una norma social, que una madurez psicológica de la personalidad.

La relativización de los valores y de las normas sociales libera al individuo de la obligación de conformarse a los «tópicos» ideológicos transmitidos por la sociedad. Pero esta libertad tiene por efecto remitir a cada uno a sí mismo y confrontarlo a sus propios recursos. El impacto sobre los adolescentes de esta liberalización de las costumbres y de esta flexibilidad de las obligaciones sociales ha sido señalado a menudo. Acrecientan las posibilidades individuales de elección y de expresión, pero incitan específicamente las posibilidades personales de cada uno y, por eso mismo, las vulnerabilidades individuales se descubren con más facilidad que en un marco moral y social más coactivo. Se puede ver en esto la razón principal del aumento de los trastornos de la personalidad. El debilitamiento de los límites exteriores hace resurgir lo borroso de las referencias internas.

Así, el estatuto de adulto pierde en parte su coherencia clásica, sus límites parecen imprecisos. ¿El adulto nuevo, el del siglo XXI, no hay que buscarlo en los individuos capaces de adaptarse a un mundo cambiante, proteiforme? Pero en este desacuerdo casi permanente entre tener en cuenta sus propias necesidades y deseos y la adaptación a las exigencias de la realidad, la unidad del sujeto corre constantemente el riesgo de perderse.

Entonces, ¿qué es ser adulto? ¿Más que en un estado, no sería mejor pensar en un modo de funcionamiento psíquico? Como todo funcionamiento, exige ciertas condiciones para mantenerse y puede estar sujeto a variaciones según el contexto interno y externo. Dicho de otra forma, cada uno funciona de manera más o menos adulta según las circunstancias, los momentos de la vida. Este modo de funcionamiento no se refiere tanto a un ideal absoluto, utópico y, en ese sentido, poco adulto, sino a las potencialidades de un sujeto dado en un entorno dado.

Dos criterios se imponen para calificar este «funcionamiento adulto»: una capacidad de autonomía y una actividad reflexiva, es decir, una doble posibilidad de distanciamiento frente a los otros y frente a sí mismo. Estas capacidades suponen saber diferir las respuestas y esperar que llegue el momento propicio para la reflexión.

Estas capacidades se sustentan en un trabajo de integración de lo que emana de la infancia, que no es ni represión ni necesariamente satisfacción directa, sino sobre todo transformación. El funcionamiento adulto residiría así en esa capacidad del sujeto para permanecer en contacto con lo que persiste en cada uno de infantil (que no es necesariamente pueril, pero que a menudo es resentido así por el sujeto, que tiene vergüenza y lo reprime), a la vez que se adapta a la realidad y, ante todo, a la presencia del otro.

El culto a la represión y al dominio, que anteriormente servía fácilmente de referencia a lo que debería ser un estado adulto, ha dado paso a una concepción más dinámica que estática. Un adulto no es necesariamente un sujeto que se ha vuelto rígido, crispado en sus posiciones, sino una persona capaz de dejarse sorprender por las emergencias de lo infantil, de acoger tanto los impulsos internos como las novedades venidas del exterior sin sentirse inmediatamente sumergido y amenazado de desbordamiento. Ser adulto no significa elegir la necesidad de control y represión de las emociones en detrimento del placer de la satisfacción. El riesgo sería grande, entonces, de ver al adulto desecarse y separarse de sus raíces vivas, necesariamente ligadas siempre a la infancia.

La adolescencia puede verse como un proceso asintótico que no tiene fin. El problema no es tanto saber si verdaderamente se ha hecho el duelo de la infancia. Se trata más bien de saber si el miedo de ser desbordado no ha conducido al sujeto a elaborar estrategias defensivas demasiado rígidas, que lo separen demasiado pronto y demasiado violentamente de sus lazos con lo infantil, dificultando todo trabajo de investigación ulterior. Cuando éste es el caso, se tiene la impresión de que estas personas han roto de manera brutal con una parte de la problemática adolescente. Eso puede sentirse un día o no resurgir nunca en toda una vida. Pero a menudo se ven los efectos de una ruptura de ese tipo en el nivel de la segunda generación. En efecto, tales separaciones tienen consecuencias sobre los vínculos que estos adultos establecen con sus propios hijos. Es, por ejemplo, el caso de esos padres aparentemente sólidos, que tendrían ganas de un vínculo caluroso con su hijo, pero que sólo pueden introducir distancia y rigidez. Confrontados a sus emociones, inmediatamente percibidas como infantiles, son presas del pánico y se sienten obligados a distanciarse.

Una adolescencia exitosa es, sin duda, una adolescencia que no ha cortado los puentes con las necesidades que permanecen en cada uno de nosotros ligadas a la infancia, y que puede acogerlas sin que la desborden.

5. ¿La adolescencia es un fenómeno nuevo?

La adolescencia está condicionada por la pubertad, fenómeno fisiológico común a cada ser humano que marca el paso progresivo de un cuerpo de niño a un cuerpo adulto. Es decir, un cuerpo que ha alcanzado su crecimiento definitivo y que es, desde ese momento, apto para la procreación. Por esa razón, es un fenómeno universal que acompaña el desarrollo de todo ser humano y que tiene un impacto a la vez individual y social.

La pubertad no es propia del hombre: concierne a todos los vertebrados. Sin embargo, en el hombre toma un carácter particular por el hecho de su impacto sobre la psicología del individuo y de las reacciones que provoca en el grupo que rodea al niño que se hace adulto. La adolescencia propiamente dicha permanece, pues, específica de la especie humana.

¿Por qué tal especificidad? Porque lo propio del hombre es haber adquirido una conciencia de sí mismo. Esta capacidad reflexiva se ha acrecentado progresivamente con el desarrollo del lenguaje y todo el campo de la cultura. Le permite verse a sí mismo, juzgarse, tomar conciencia de su finitud y de sus límites. De ese modo, es capaz de apreciar los cambios que le afectan y notablemente los que, ligados a la pubertad, modifican la imagen que tiene de sí mismo. Es una fuente de satisfacción, de orgullo, pero también de inquietud.

Además, esta conciencia de sí le ha permitido librarse, en parte, del peso de los instintos, de su rigidez y de su carácter coactivo, tal como los observamos en los animales, especialmente en materia de sexualidad. La sexualidad humana se ha librado de su función final, la reproducción, para orientarse hacia la búsqueda única del placer.

Esta relativa liberación se ha acompañado de una regulación necesaria de las relaciones entre los humanos. El papel de la cultura ha sido instituir reglas sociales que rijan las relaciones en el seno del grupo. En todas las culturas los periodos de cambio que afectan a los individuos y, más particularmente, a la pubertad, son objeto de ritos y de codificaciones relativamente rígidas. Las sociedades han

Lo que hay que saber sobre la adolescencia

desconfiado siempre de lo que podía escapar a su control y cuestionar el orden de las cosas establecidas.

La pubertad, paso de la infancia a la edad adulta, no escapa a la regla. La organización de este paso por las sociedades de los adultos ha transformado la pubertad en ese fenómeno a la vez psicológico, social y cultural que es la adolescencia. Es verdad que el cambio es importante: hace del niño impúber un adulto sexualmente maduro, capaz de poner en peligro la base misma de la organización social, la familia.

Los ritos de iniciación que acompañan el paso del estatuto de niño al de adulto son ejemplos de cómo se hace cargo la sociedad de ese fenómeno. Todavía los podemos estudiar en las sociedades llamadas primitivas, es decir sin lenguaje escrito, que se han perpetuado hasta nuestros días.

Es particularmente interesante observar estas sociedades, ya que ilustran la necesidad, aparecida desde el inicio de la organización de los hombres en sociedades, de enmarcar las transformaciones puberales, necesidad reveladora del miedo que inspiran. Reveladora igualmente de la naturaleza de estos miedos que los ritos de iniciación se supone que han de conjurar.

Los ritos de iniciación se sitúan en los confines de lo individual, corporal y psicológico, y de lo social. Están encargados de ajustar su articulación.

Si nos referimos a estas sociedades, sin ignorar las diferencias que existen entre ellas, un cierto número de grandes constantes de estos ritos se pone de manifiesto en la práctica: la preocupación de los adultos por controlar a los adolescentes, la sumisión de estos últimos, la violencia de las experiencias y la importancia dada al cuerpo del adolescente como a la diferencia de los sexos y de las generaciones.

Más allá de la diversidad de los rituales, podemos extraer un «esquema iniciático» que les es común. La iniciación aparece como un pasaje que marca una transformación de la persona y la conduce a un nuevo estatus.

La ritualización de este pasaje conlleva tres fases esenciales:

◆ La separación del grupo familiar y social. Esto sería experimentado, más o menos conscientemente, como un duelo, y el iniciado, como su familia, cree o finge creer que va a morir o a correr un gran peligro.

◆ La fase de reclusión. En esta fase podemos discernir elementos simbólicos que muestran que se experimenta como una gestación: carácter redondeado del lugar iniciático (caverna, recinto cerrado…), desnudez de los neófitos, silencio (actividades específicas que deben ser mantenidas en secreto). Las pruebas sufridas pueden ser físicas (dormir en condiciones difíciles, soportar el frío y el hambre, consumir alimentos repugnantes, ser molido a palos…), morales (miedo a la muerte, a las máscaras…) o intelectuales (enigmas); se duplican con una enseñanza a la vez religiosa, social, sexual y lingüística, en unión con el acceso al conocimiento de los secretos de la vida, especialmente de la sexualidad y de los poderes ocultos, y de transformaciones corporales, esencialmente en el nivel de los órganos sexuales (circuncisión, ablación). Muerte y renacimiento simbólico resumen la esencia de esta iniciación, con una escenificación que imita el parto.

◆ El retorno. Consagra la reintegración en la sociedad. Los iniciados son a menudo tratados como bebés: son llevados y no reconocen más a los suyos. También deben volver a aprender todo lo de la vida corriente.

Los ritos de iniciación que conciernen a la adolescencia recurren, màs que los otros a pruebas físicas potencialmente peligrosas, con estigmas corporales a menudo definidos: ablación, escarificaciones, etc. Podemos inducir que este periodo corresponde a tensiones y amenazas de una intensidad y una violencia particulares. ¿Cómo no creer que la violencia del rito remite a la violencia del riesgo?

El rito responde a una situación de tensión psíquica intensa, experimentada como amenazante por los individuos, que el grupo retoma a su cuenta y se encarga de darle un sentido.

Podemos preguntarnos hoy en día qué ha sido de las condiciones del dispositivo del encuentro entre adolescentes y adultos, cuando los ritos nos muestran la importancia de este encuentro y de la violencia de la que puede ser portador. ¿Ciertos movimientos de revuelta de los adolescentes y la exacerbación de su violencia hetero- o autoagresiva no corresponden a momentos de fluctuación de la sociedad de los adultos? El liberalismo de ésta, que ya no ofrece consenso, ¿no puede ser percibido como un retraimiento que parece a veces un abandono?

¿Qué puede existir en común entre los ritos que venimos de evocar y la adolescencia de hoy en día? Aparentemente nada, todos estos niños, que una ceremonia precipita brutalmente en el mundo de la sociedad adulta, aparecen en las antípodas de estos otros adolescentes que no terminan de acceder a un estatus de adulto en una sociedad en la que la duración del aprendizaje no cesa de alargarse, a imagen de la esperanza de vida.

Sin embargo, ciertas experiencias pueden tomar, en nuestra sociedad, el valor de rito iniciático por su carga simbólica. Pero la diversidad de estas experiencias refuerza el carácter individual y más que nunca coloca a la familia en el centro de cómo el adolescente vivirá las mutaciones que le afectan.

La adolescencia no es la creación de un periodo de la historia de una sociedad determinada. Corresponde a una exigencia de «trabajo psíquico» inherente al desarrollo de todo ser humano, a la cual todo individuo está confrontado y a la cual toda sociedad se esfuerza en aportar una solución. Fenómeno natural, fenómeno individual igualmente, pero cuya forma y salida están siempre condicionadas por la cultura a la que cada uno pertenece. La adolescencia es, pues, una etapa del desarrollo, cuya manifestación y resolución variarán de una época y de una cultura a otra. En el seno de una sociedad, la nuestra por ejemplo, las formas y las resoluciones cambian, igualmente, en función del sexo, del momento de la adolescencia, de la organización psíquica del adolescente o del sistema familiar al que pertenezca.

6. ¿Por qué la adolescencia empieza cada vez más pronto?

Constatamos, en efecto, que la pubertad empieza cada vez más pronto. Así, la edad media de aparición de las primeras reglas ha pasado de los diecisiete años en la mitad del siglo xix a los quince años hacia 1930; actualmente a los doce años y medio. Muchos jóvenes acceden, a causa de la liberación de las costumbres, cada vez más precozmente a la sexualidad. También tienen una facilidad de acceso inédita a conocimientos que les abren el mundo y desarrollan su espíritu crítico. Pero aunque vayan avanzados en este aspecto, respecto a sus padres a la misma edad, en el plano material y afectivo permanecen muy dependientes de su familia. Vemos incluso desarrollarse comportamientos «pseudoadolescentes» en jóvenes prepúberes que adoptan actitudes que imitan a las de sus hermanos mayores. Estas veleidades de imitación parecen favorecidas por las imágenes televisivas y los efectos de incitación del grupo.

Sin embargo, podemos considerar que se trata más de una «pseudoadolescencia» que de una verdadera adolescencia. Ésta necesita la integración psicológica de los efectos de los cambios corporales de la pubertad sobre el individuo mismo y sobre sus relaciones con los otros, notablemente con sus padres. Este plagio de los comportamientos adolescentes por los preadolescentes es a menudo pasajero. Habitualmente no tiene consecuencias y desaparece con los primeros efectos de la pubertad. Sin embargo, no hay que animarlo, ya que un comportamiento «falso» no es nunca benéfico. A veces puede tener un efecto negativo y atrapar al niño en actitudes de provocación, incluso de seducción pseudosexual. Estos comportamientos le impiden satisfacer las necesidades afectivas correspondientes a su edad, bloquean sus aprendizajes y lo fijan en una imagen negativa de sí mismo que le remiten los adultos. Un niño que empieza su adolescencia demasiado precozmente y adopta este tipo de actitudes puede ser manipulado por un adulto con fines perversos o integrado en una banda de la que llegará eventualmente a ser la mascota. Esta situación le da un estatuto que, ciertamente, lo va-

loriza en el momento, pero que se hace en detrimento de las adquisiciones escolares, afectivas y morales, y compromete su porvenir.

7. ¿La adolescencia es un periodo de crisis?

Sí, la adolescencia es necesariamente un periodo de crisis: ya no
se puede ser después como se era antes. Impone un cambio físico,
pero también psicológico, a cada sujeto. Cambio importante, puesto que el niño dispone desde ese momento de un cuerpo adulto
capaz, en particular, de procrear. Cambio rápido igualmente, a
veces espectacular. El carácter ineluctable de este cambio y la presión psicológica que se desprende dan a la adolescencia ese carácter
de crisis.

Es necesario que a los cambios corporales correspondan modificaciones psíquicas. El adolescente debe a la vez integrar su nuevo
cuerpo y modificar las relaciones con sus padres. Si su carácter y su
comportamiento fuesen los mismos al final de la adolescencia que
al principio, eso representaría una regresión a una situación infantil.

Pero crisis no quiere decir necesariamente manifestaciones es-
pectaculares, ruidosas o violentas, ni incluso situación de conflictos
repetidos. No es tampoco sinónimo de sufrimiento inevitable. El
cambio no es necesariamente doloroso. Se acompaña incluso a menudo, en esta edad, de un sentimiento de libertad, de liberación de
las sujeciones de la infancia, de entusiasmo frente a las posibilidades
y los nuevos placeres que se ofrecen al adolescente, notablemente
en materia de amistades y de relaciones amorosas.

Sin embargo hay que reconocer que este cambio forzado hacia
un estado adulto, que, en nuestra época, tarda cada vez más en llegar, conlleva demasiadas incertidumbres sobre el futuro, demasiados sentimientos contradictorios que conciernen al presente para
ser vivido de modo tan feliz como a los adultos les gustaría creer, ol-
vidadizos de su propio malestar en esta edad. Pero los momentos de

duda, de vacilación, de desazón, no son un drama, y mucho menos una enfermedad. Sin duda alguna, la mayoría de los adolescentes tendrá que vivir una crisis que durará algunos años, con momentos más críticos que otros, porque van a sufrir una mutación física, psicológica y social que va a cambiar su manera de ser, su imagen y sus relaciones con ellos mismos, con los otros y con el mundo. Estas mutaciones, sin embargo, se desarrollarán, para la mayoría de ellos, sin «crisis» mayor, tanto para ellos como a los ojos de los demás.

¿Qué sucede, por el contrario, para el 15 o 20% de adolescentes que van a vivir una adolescencia «difícil»? La encuesta europea cuatrienal, realizada en Francia entre jóvenes de edades comprendidas entre 11 y 15 años por el CFES (Centro Francés de Estudios Sociales), ha mostrado la notable constancia de sus opiniones y actitudes en estos dos últimos decenios. Expresan por término medio una impresión de bienestar, se consideran felices en un 87% y tienen confianza en ellos en un 73%. Pero no se trata más que de una media; en realidad, el índice de confianza cae sensiblemente –casi el 20%– entre los 11 y los 15 años.

Esta encuesta ilustra perfectamente lo que observan los médicos y los psicólogos: el efecto negativo sobre la imagen de sí mismo y, especularmente, del mundo que induce la pubertad.

La adolescencia reactiva muy particularmente lo que permanece en nosotros de inseguridad interior y de dependencia afectiva con los padres. El niño llega, en efecto, a la pubertad con unas necesidades de dependencia más o menos importantes, según la naturaleza de su sentimiento de seguridad interior y de su confianza en él. Ciertamente, confianza y seguridad son siempre relativas: todos tenemos necesidad de un aporte exterior que viene a sostener nuestros recursos interiores. Pero en aquellos que van a ser masivamente tributarios de una presencia exterior para asegurar su equilibrio interno, esta presencia, en particular la de los padres, es la que estará en juego en numerosos conflictos en el momento de la adolescencia. Estos conflictos nacen porque esta presencia se sexualiza y porque la dependencia afectiva del entorno es contradictoria con la necesidad de llegar a ser autónomo. Es en ese momento cuando los adolescentes sentirán la necesidad de los otros como una presión y una coacción tan insoportable que la van a percibir, a menudo, como que proviene del entorno.

La expresión más común de este cambio concierne a las relaciones de intimidad con el entorno próximo. Todo sucede como si se asistiera a una repentina reducción de la distancia entre el adolescente y sus padres. El adolescente tiene la impresión de que su espacio es brutalmente invadido por su omnipresencia. Tiene el sentimiento de una invasión y de una promiscuidad permanente, como si el solo hecho de que están ahí implicase un contacto físico, fuente de reacciones de rechazo, incluso de asco. Diríamos que el adolescente acaba de darse cuenta de que sus padres están provistos de un cuerpo, del cual empieza a percibir lo que juzga, como defectos, y cuya pesadez o, por ejemplo, los olores que emanan, son fácilmente fuente de irritación, intolerables. De un día para otro, el adolescente rechaza los mimos y los besos, incluso los convencionales, los que podía haber pedido antes.

Es la época en la que lo familiar es sinónimo de repelente. Este distanciamiento físico se traducirá a menudo, en el seno mismo del territorio familiar, en una redistribución del espacio: evitación de la habitación de los padres, fuga de los espacios comunes, búsqueda de un espacio privado, encerrarse en la habitación, utilización de los espacios extrafamiliares (domicilio de los amigos, lugares públicos, etc.).

Las personas próximas al adolescente son así objeto de un fenómeno de atracción-repulsión tanto más marcado cuanto más intensa y cargada de deseos fue la relación anterior. Este fenómeno puede concernir directamente a la persona investida (en general un padre) o referirse a los atributos de esta persona, oficio, valores, ideales… Encontramos al menos este tipo de comportamiento en las conductas de oposición ordinarias. Pero es suficiente un alejamiento, incluso mínimo, para que el adolescente se deje llevar y exprese claramente lo que está obligado a reprimir con el padre incriminado, como lo prueba la desaparición de toda oposición y la diligencia que muestra en casa de los padres de sus amigos, o incluso la espontaneidad en la expresión de las emociones cuando se encuentra con uno de sus abuelos.

Las conductas de oposición son, en efecto, una de las formas privilegiadas de este nuevo ajuste del espacio familiar. Ocupan toda la gama de los comportamientos posibles, del simple enojo del adolescente a la agresión directa de uno o de los dos padres. Estas conductas de oposición se extienden también a la necesidad de crear un espacio preservado más o menos secreto, al deseo de encerrarse en su habitación o de aprovechar todas las ocasiones para dejar la casa familiar, fugándose o con un comportamiento errante en los casos extremos.

Junto a estos comportamientos más o menos provisionales, la adolescencia es rica en actitudes contrastadas que han dado lugar a comportamientos suficientemente estables y duraderos para ser el origen de modelos identitarios del adolescente. Conocemos los estereotipos del adolescente romántico, soñador, secreto y apasionado, del asceta, del rebelde que rechaza todo compromiso y está muy decidido a que sus ideales triunfen. También forma parte el estereotipo del adolescente que se hunde con encarnizamiento en la delincuencia, el vandalismo, la droga, comportamientos auto- y heterodestructivos. O, incluso, los estereotipos del adolescente siempre en busca de nuevos riesgos, que no siente que existe más que arriesgando sus adquisiciones, su salud, incluso su vida; del adolescente que evita la confrontación con la realidad, se evade en la mitomanía o que no puede encontrar placer e interés más que a escondidas de los demás.

Los adolescentes se encuentran confrontados a la paradoja que está en el corazón mismo de este periodo de la vida, y que puede formularse así: «Esto que necesito, esta fuerza que no tengo y que tomo prestada a los adultos, es –justamente porque la necesito– lo que amenaza mi autonomía naciente». Como en toda paradoja, hay un efecto de inhibición sobre el pensamiento y puede originar el sentimiento de volverse loco. Es lo que manifiestan los adolescentes cuando dicen: «Me han comido la cabeza; mi madre me come la cabeza; mi profesor me come la cabeza…». Solamente, lo que el adolescente no puede percibir es que este personaje está siempre investido y es importante para él, y que «le comen la cabeza» porque está abierta. Es decir, el adolescente está en una situación de espera y de demanda. Es uno de los dramas del adolescente: no hay peor enemigo que uno mismo, y el peor enemigo aquí son las expectativas inconscientes que se tienen del otro.

Es difícil para un adolescente no sentir las transformaciones de la pubertad como una especie de violencia sufrida, por el hecho mismo de que no las ha elegido, cuando después de la fase de latencia –«edad de la razón» (que se sitúa entre 6 o 7 años y la pubertad)– que abre la puerta al dominio de los aprendizajes, podía pensar que tenía desde ese momento el control de su desarrollo. Pero la pubertad está en las antípodas de la fase de latencia: cuando ésta ha permitido el desarrollo del dominio (de los conocimientos pero también de la motricidad), la pubertad introduce el trastorno, la duda, lo indefinido. Surgen numerosas cuestiones ligadas a la impotencia del adolescente frente a los cambios corporales que no ha elegido, como no ha elegido su cuerpo, su sexo, ni todo lo que ha heredado y que lo confronta a las leyes naturales. La pubertad lo remite a su sumisión infantil, a los deseos de sus padres. Eso es lo que expresan los adolescentes cuando dicen: «No he elegido nacer» y por tanto el contrapunto no es otro que el «Puedo elegir morir» de la tentativa de suicidio… Una vez más, la violencia se presenta (en este caso la violencia de la autodestrucción) como último modo de controlar lo que sea frente a una situación que sobrepasa al adolescente. La elección de la vida, del éxito, del placer es siempre aleatoria y depende mucho de factores que no se controlan, como la opinión y los sentimientos de los otros, por ejemplo. Además, el placer tiene siempre una finalidad y confronta a los ansiosos a las angustias de pérdida y de separación, mientras que siempre pueden ser dueños de sus fracasos, del rechazo de utilizar sus potencialidades, de sus comportamientos de autosabotaje y de autodestrucción.

Una verdadera fascinación por lo negativo es, pues, el peligro que acecha a numerosos adolescentes poco seguros de sí mismos. Paradójicamente, la renuncia les confiere un poder que la búsqueda del éxito no les daría. El placer que sienten está ligado al dominio que tienen sobre sus deseos y no a la satisfacción de los mismos. Es el precio que debe pagar el adolescente para reasegurarse y demostrarse que tiene los medios para controlar sus deseos y sus objetos, que no está bajo su dependencia. Se comprende entonces el efecto de alivio de los comportamientos autodestructivos, el apaciguamiento que puede acompañar a la decisión de suicidarse o el efecto ansiolítico que pueden tener quemaduras y escarificaciones del cuerpo.

Pero es importante señalar lo que estos comportamientos revelan de deseo de afirmación, de decepción y de cólera. Frecuentemente, no expresan tanto un deseo de morir como una necesidad de autodestrucción que es a la vez rechazo categórico de lo que se espera de ellos, especialmente por sus padres, y necesidad, a menudo ampliamente desconocida, de ser mirados y de existir para éstos, aunque sólo sea por la inquietud suscitada.

Estos adolescentes no pueden abandonarse al placer compartido, vivido como humillante. En realidad, son muy tributarios de su entorno. Esta dependencia los vuelve particularmente sensibles a la decepción. Más que estar decepcionados, les parece preferible no tener interés. La espera se trasforma entonces en rechazo. Y la búsqueda de un placer compartido da lugar al ataque contra sí mismos, cuya intensidad será proporcional a la de la espera.

Es el momento en el que los adolescentes abandonan lo que les daba valor a los ojos de sus padres, sobre todo del que tienen ganas de estar más próximos. Incluso si sobresalen en la danza, el piano o la gimnasia, deciden brutalmente que eso ya no les interesa. La verdadera razón es que lo que está en juego es demasiado importante. Con ese rechazo, se distancian del padre al que deseaban complacer, se previenen al mismo tiempo de una decepción posible y, a menudo, tienen el beneficio de provocar la atención desolada y apiadada de éste (cf. pregunta 79, p. 186).

El modo que tiene el adolescente de marcar una distancia con aquellos que más necesita es, pues, sufrir e inquietar de una manera o de otra. No es, pues, ni culpable de placer excesivo con uno de los padres en detrimento del otro, ni depende de este padre y, tampoco está solo, puesto que suscita la inquietud, la situación de proximidad, evitada en el placer, se encontrará en la insatisfacción recíproca.

8. ¿La adolescencia es siempre una etapa difícil de pasar?

La adolescencia nunca es tan simple como les gustaría creer a los adultos. No está hecha a base de despreocupación y de irresponsabilidad. Incluso si nuestra cultura ya no confronta a los adolescentes a pruebas iniciáticas que pueden poner en peligro hasta su propia vida (cf. pregunta 5, p. 25), la adolescencia permanece siempre, si no como una prueba, al menos como un trabajo psicológico de adaptación a una situación nueva. Adaptación tanto más necesaria en la medida en que concierne no sólo a las relaciones con el entorno, sino también a los cambios físicos y psicológicos que afectan al adolescente mismo.

Es difícil estar a gusto frente a los adultos o a la gente de su edad cuando uno mismo está desestabilizado por un cuerpo que muda y una identidad que vacila, cuando se es tironeado entre la nostalgia de la infancia y las ganas de ser lo que no se es todavía, a saber, un adulto. Por eso la adolescencia es verdaderamente una crisis (cf. pregunta 7, p. 30).

Pero la sociedad actual se hace mucho menos cargo de esta crisis que en el pasado. Lo propio de una sociedad liberal, no tanto en el plano económico como en el plano ideológico, es dejar más al individuo librado a sí mismo en lo que concierne a la organización de su vida y a los valores a los que ha elegido referirse.

Simultáneamente, asistimos, con la concentración de la población en ciudades, a un relajamiento de los vínculos con la familia ampliada. Mientras que la familia nuclear (la familia restringida) está sometida a fuertes tensiones que van, en casi un caso sobre dos, hasta su estallido y su eventual recomposición. Conjuntamente se multiplican los ajustes atípicos de la vida familiar y de los modos de «parentalidad» y de procreación. Esta implosión de los modos tradicionales de la vida familiar se acompaña, de manera en apariencia un poco paradójica, de un movimiento de repliegue sobre la familia. Pero se trata de una familia que se apoya esencialmente sobre lazos afectivos fuertemente individualizados, que apenas está organizada por «tópicos» culturales e ideológicos. Menos familia, pues, pero más lazos familiares. Con ventajas: más riqueza afectiva personalizada; e inconvenientes: más dependencia y la ambivalencia de sentimientos que genera toda dependencia.

Debido a estas mutaciones, hoy en día ya no hay casi consenso social sobre las modalidades de educación de los niños, la disciplina, el funcionamiento de la vida familiar, las reglas de vida. No se trata de abogar por una vuelta a lo de antes, pero todo cambio comporta sus riesgos. Esta ausencia de consenso contribuye a reforzar la relación de deseo, y por lo tanto de proximidad, que une al niño y a sus padres. Estos ya no tienen la posibilidad de decir: «Es así porque es así. Es así porque siempre ha sido así. Mis padres lo hacían así, los vecinos lo hacían así…». Esta especie de justificación aproximativa tenía, sin embargo, una utilidad: la de interponerse entre el deseo del niño y el de sus padres como un límite «objetivo» independiente del deseo personal de unos y de otros. En nuestros días, el niño discutirá rápidamente la posición de sus padres haciendo referencia a los comportamientos diferentes de los padres de sus amigos: «Justifícate. El padre de mi amigo no lo hace así, ¿por qué pones límites aquí más que allí?». En el fondo de esta discusión está la creencia implícita de que la elección familiar pone de relieve lo arbitrario y el deseo del más fuerte. El niño está, pues, implicado muy precozmente entre los vínculos de deseo que existen entre sus padres y él, con la riqueza que esto representa, pero también con el inconveniente de que las elecciones personales de los niños y de los padres son requeridas directamente –posiblemente demasiado directamente. Esto refuerza la dependencia afectiva recíproca y el enmarañamiento de los vínculos. Ya no están protegidos por el efecto mediador, posiblemente limitado, pero eficaz, de la necesidad consensual que se interponía entre ellos.

Contrariamente a ese consenso, la evolución liberal de nuestra sociedad podría resumirse por el adagio: «Haz lo que quieras, pero hazlo bien». Nos encontramos ante un fenómeno de transformación social muy importante que tiene como consecuencia una posibilidad acrecentada de expresión de los deseos, especialmente sexuales. Pero, si se puede hacer lo que se quiera, ya no se sabe lo que se quiere, o se quieren cosas contradictorias. El niño, y más aun el adolescente, se ve confrontado demasiado pronto a la ambivalencia de sus sentimientos y a su soledad frente a esta ambivalencia. Confrontados a sus contradicciones y a sus insatisfacciones, no pueden más que echarse la culpa a si mismos y ya no tienen tan fácilmente como antes el recurso a las limitaciones venidas del exterior, de los padres o de la sociedad. Por otro lado, la exigencia de hacer bien lo que se hace requiere muy pronto de sus capacidades, cuyo valor será susceptible de ser juzgado.

El adolescente ya no puede recurrir a la protección narcisista que ofrece la prohibición: «Si yo no hago lo que quiero, no es porque no tenga los medios, es porque me lo impiden». La pierde debido a la exigencia de resultados: «Siempre puedes hacerlo mejor; sé el primero». Entonces el ideal no tiene límites, puede tomar una dimensión verdaderamente devoradora. Por el contrario, las prohibiciones fuertes son molestas, pero es suficiente con respetarlas para sentirse válido y amado.

De la lucha contra las prohibiciones, el conflicto se desplaza al terreno del culto a los resultados. El combate es encarnecido a todos los niveles de la competición, con lo que eso representa de potencialidades creativas, pero también potencialidades de violencia y de destrucción.

Paralelamente, la evolución de la sociedad permite a los jóvenes, por primera vez en la historia de la humanidad –al menos a tan gran escala–, concebir un futuro que no sea la pura repetición de la vida de sus padres. Esta apertura hacia un modo de vida en parte desconocido, puesto que se acompaña de un debilitamiento de las prohibiciones y un acrecentamiento de las exigencias de éxito individual, favorece naturalmente la expresión de las necesidades de dependencia y de las inquietudes de los adolescentes sobre sus capacidades personales, a la vez que disminuyen las ocasiones de oposición.

No hay que ver en esta dependencia un estado patológico en sí mismo. Podemos, si acaso, reconocer una especie de vulnerabilidad. Un cierto número de creadores y de *self-made men*, sin embargo, tienen ese mismo tipo de vulnerabilidad. Intentan retomar su destino en mano, protegerse de sus necesidades afectivas y de la dependencia que generan al «autocrearse» a través de sus creaciones. Como si se convirtieran en sus propios progenitores y prescindieran así de sus padres. En la adolescencia es cuando se produce a menudo esta oscilación, que puede dar lugar o a un notable éxito, o a una conducta de fracaso, ya que a falta de ser grandes en el éxito, algunos adolescentes pueden elegir llegar a serlo en el fracaso. Esto depende en gran medida de los encuentros, de su calidad y de la manera en la que el adolescente los acoja. El fracaso corre el riesgo de conducirlo a encerrarse en el rechazo, actitud que llega a ser la última defensa de una identidad amenazada de derrumbe. Uno de los mayores peligros que acechan es dejarlos por cuenta de nuestra sociedad. Su único medio de existir reside en ese caparazón nihilista, en esa capacidad de decir no, no sólo a sus padres sino también al conjunto de los adultos. Esta actitud oculta realidades psíquicas muy diferentes, pero que se disuelven en la permanencia del rechazo al intercambio. La insatisfacción crónica es el contrapunto de la intensidad de la decepción de su deseo.

9. ¿Los adolescentes «tranquilos» fracasan en su adolescencia? ¿Tendrá consecuencias en su futuro?

No. No es necesario que la adolescencia sea ruidosa, conflictiva, hecha de oposiciones y de sufrimientos para que sea exitosa. ¡Más bien es lo contrario! Los estudios actuales sobre el futuro de los adolescentes muestran claramente que las adolescencias difíciles son las que conducen al mayor número de enfermedades mentales y de trastornos de la personalidad en el adulto.

La imagen del adolescente atormentado, infeliz, presa de ideas de suicidio, en perpetua rebeldía, corresponde a una visión romántica del adolescente que no refleja la mayoría de las situaciones. Y cuando se da el caso debe ser más un motivo de inquietud que de satisfacción.

Sin embargo, la visible tranquilidad no tendrá la misma significación según viva en una familia abierta, es decir, en una atmósfera de confianza recíproca encuadrada por reglas de vida que le permiten sentirse a gusto con sus compañeros o que se someta a coacciones y presiones educativas de otros tiempos que lo pongan en vilo con relación a su grupo de edad. En el primer caso, se trata de la tranquilidad natural de un adolescente equilibrado que evoluciona en un medio favorable a su completo desarrollo. En el segundo, la tranquilidad, aparente, se hace al precio de una represión de los deseos propios del adolescente y de su marginalidad en el seno de sus compañeros. Entre estas dos situaciones, existen todas las situaciones intermedias. Pero lo que distingue la tranquilidad de buen augurio y la que pone en peligro el futuro del adolescente es la cuestión: ¿esta tranquilidad se acompaña o no del completo desarrollo de las potencialidades del adolescente?

Porque la tranquilidad puede ser una forma de depresión, incluso la expresión de una enfermedad mental severa tal como la esquizofrenia. Al adolescente se le considera tranquilo por su entorno porque no hace ruido, respeta las convenciones y no tiene exigencias particulares. Pero, en efecto, si está aislado y desconectado de los demás, la tranquilidad no es entonces más que la expresión de una ausencia de impulso vital, de una falta de contacto muy inquietante, de las que es necesario preocuparse y adelantarse al adolescente para ayudarlo a salir de su encierro.

Éste puede, en efecto, conducir a ciertas situaciones trágicas, cuando, por ejemplo, un adolescente comete un acto insensato, violento, contra sí mismo, contra los demás o contra ambos. Este adolescente tenía, sin embargo, buena fama sin escándalos, particularmente tranquilo y, aparentemente, sin problemas. Pero nos apercibimos de que se trata en efecto de un chico solitario, y lo que se tomaba por tranquilidad, por pasividad, era en realidad un profundo aislamiento en un mundo personal imaginario muy inquietante... Aislamiento que contribuía a hacer la comunicación con él cada vez más difícil, hasta que el acto brutal viene a revelar un día la amplitud del drama.

Sin embargo, tales casos continuarán siendo excepcionales. Más numerosos, en cambio, son los adolescentes cuya aparente tranquilidad esconde una total ausencia de autonomía frente a sus padres, el temor de diferenciarse y separarse de ellos. Sin ser patológica, la situación puede llegar a ser preocupante en la medida en que, en esta edad más que en otra, el estancamiento es una regresión. Además, el miedo refuerza al miedo, y el miedo de lo desconocido, de la novedad, conduce a estos adolescentes a encerrarse en su familia y a temer toda confrontación con el mundo exterior. Lo que da lugar inevitablemente a una regresión afectiva que impide el pleno desarrollo de sus capacidades.

Cuando estas situaciones se enquistan, no permiten ninguna forma de expresión directa de la agresividad mínima necesaria para diferenciarse y adquirir una cierta autonomía. Por el contrario, esta agresividad se vuelve contra el mismo adolescente. Puede traducirse de diferentes maneras, pero todas tendrán en común un sentimiento de insatisfacción. Puede tratarse de desórdenes corporales, de una fatiga crónica, de dolores o de trastornos de tal o tal órgano o de tal y tal función (y más en particular de la digestión). También puede darse una depresión más franca, trastornos alimenticios, una tentativa de suicidio o una tendencia al alcoholismo. De manera que la convivencia se convierte progresivamente en un infierno en el que todo el mundo sufre y del cual cada vez es más difícil salir, en la medida en que el incremento de los rencores y de las decepciones aumenta el miedo de romper el vínculo, lo que refuerza el asidero recíproco de padres y de adolescentes.

De hecho, una situación regresiva de ese tipo no puede instalarse sin una complicidad parental inconsciente. Los padres establecen con su hijo los vínculos regresivos que ellos mismos habrían deseado tener con sus padres.

¿Demasiado ruidoso o falsamente tranquilo, cómo reconocer una adolescencia problemática? La reacción no debe esperar demasiado. Pero, ¡atención!, no deja de tener riesgos inquietarse sin razón. Dicho de otra manera: la dramatización intempestiva de las dificultades, incluso reales, de un adolescente puede parecerle exasperante o, peor, contribuir a instalarlas de manera duradera. En caso de duda, es mejor recurrir a la opinión de un especialista que dejar crecer la inquietud, que la atmósfera se haga pesada y la situación se deteriore. Pero algunos todavía temen la consulta de un «psiquiatra» como si fuera reconocer una posible locura. Reencontramos en los padres este miedo tan frecuente en el adolescente de perder el control de sí mismo y de la situación. El miedo es más fuerte cuanto más impreciso permanece en lo que se refiere a su contenido. Como un pararrayos o un imán, condensa a su alrededor todos los miedos antiguos y presentes. Como si, hablando de las inquietudes que suscita el adolescente, se fuera a abrir la caja de Pandora de la que saldrán en barullo las heridas y los traumatismos de la infancia, los secretos de familia, los trastornos psíquicos escondidos, los actos inconfesados, las faltas que se reprochan, las decepciones y los rencores acumulados, particularmente en el seno de la pareja.

Este miedo es mal consejero. Contribuye a agravar el sentimiento de amenaza que, por sí solo, tiene un efecto pernicioso sobre el adolescente. Es preciso restablecer un clima de confianza para hacer frente, con la capacidad de los padres, a la necesidad con la ayuda de un apoyo exterior. Una opinión no siempre es necesaria, pero jamás es perjudicial en sí misma. Por el contrario, dejar podrirse la situación nunca es beneficioso.

Capítulo 2

«¿Quién soy yo?», o la edad de las dudas...

10. ¿Por qué detesta su cuerpo?

Es un hecho: a un cierto número de adolescentes no les gusta su cuerpo y no están a gusto con él. Este malestar puede llegar hasta el rechazo completo, incluso hasta un verdadero odio, del cuerpo en su conjunto, o de una de sus partes. Esta focalización del rechazo es bien conocida por los psiquiatras, que la llaman dismorfofobia, es decir fobia (que significa miedo pero también rechazo) de la apariencia, de la forma.

Los apéndices naturales del cuerpo (nariz, orejas, boca, manos, pies) o las partes más claramente sexualizadas (senos, nalgas, caderas) son el objeto privilegiado de estos rechazos. El acné, frecuente en esta edad, puede servir de punto de partida para una reacción de rechazo del rostro y a veces del cuerpo en su conjunto. Hay que tratarlo y evitar que se convierta en una obsesión, a menudo agravada por el comportamiento paradójico de los adolescentes, que no pueden impedir tocarse sus espinillas al mismo tiempo que se reprochan las consecuencias. Pero la silueta, el peso, la talla pueden igualmente ser el objeto de críticas que toman a menudo un carácter obsesivo. Los adolescentes que rechazan todo o parte de su cuerpo tienen el sentimiento de que no podrán llevar una vida feliz mientras persista lo que les parece una anomalía. La intervención quirúrgica es cada vez más vivida por estos adolescentes como la única solución.

Pero el malestar es a menudo más difuso: se traduce por la necesidad de esconder sus formas bajo ropa demasiada amplia, la dificultad de ponerse en traje de baño o incluso la necesidad de llevar ropas lo más neutras posibles. Como siempre, la reacción contraria puede ser, en realidad, el signo del mismo malestar: los adolescentes que buscan llamar la atención con una vestimenta, un peinado o accesorios provocativos no aceptan mejor su cuerpo que los que lo camuflan. Aparece, por otra parte, más maltratado que valorizado. Este tipo de actitud aspira a provocar el asombro, la molestia y la desaprobación, incluso el miedo. No es un azar, sino la expresión de la necesidad de hacer nacer en el otro, en aquel que mira al adolescente, una mirada negativa sobre su físico. Esa transferencia permite al adolescente evitar tomar la responsabilidad del rechazo de su propio cuerpo.

Bajo una forma más atenuada, el aspecto de muchos adolescentes despierta la perplejidad o la irritación: también eso es un eco de su malestar y de la imagen que tienen de ellos mismos. Forma parte de esa difícil aceptación de su cuerpo en mutación la predilección de los adolescentes por el negro, color del duelo, la ropa desgarrada, los zapatos de suelas descomunales. Sin hablar del gusto por la ropa de corte militar que comparten incluso los antimilitaristas convencidos.

El cuerpo es el reflejo de las transformaciones psíquicas de la adolescencia. Es el revelador de los cambios, que conciernen especialmente a la sexualidad, que ya no es posible negar. Esta *traición* del cuerpo, que muestra más de lo que sería deseable a los ojos del adolescente, incita particularmente las tendencias exhibicionistas del individuo. La mirada, el juego de lo que se muestra y de lo que se esconde, se encuentra sobreinvestida. En general, el adolescente, para intentar controlar lo que se le escapa, elegirá la huida hacia delante y exhibirá excesivamente un cuerpo que, en el exceso que aparenta, es una caricatura de él mismo.

Este simulacro de una fiesta del cuerpo, que ilustran las modas adolescentes, no es necesariamente negativo. Es un ajuste posible, si se presta a una evolución posterior. Lo que conlleva de activo es preferible al retraimiento y a la desinvestidura del adolescente con relación a su cuerpo.

Pero el malestar puede ir más allá de la manera de vestirse. La adolescencia es un periodo de la vida en el que se multiplican particularmente toda clase de ataques directos o indirectos al cuerpo: escarificaciones, quemaduras de cigarrillos, anorexia, o bulimia, y, evidentemente, tentativas de suicidio. Señalemos que estos ataques al cuerpo son más frecuentes en las chicas (tres veces más tentativas de suicidio, diez veces más casos de anorexia, cuatro veces más de quejas concernientes al dolor físico, cefaleas, dolor de vientre, etc., que en los adolescentes de sexo masculino), pero más graves en los chicos (tres veces más de suicidios exitosos, por ejemplo, en los adolescentes que en las adolescentes).

¿Por qué el cuerpo es el objeto privilegiado de estos ataques? Se percibe fácilmente hasta qué punto el cuerpo juega un papel de primer orden en la adolescencia, puesto que su proceso está íntimamente ligado a las transformaciones fisiológicas de la pubertad.

El adolescente puede creerse el amo de sus pensamientos y de sus ideologías, pero sufre su cuerpo. Porque asiste, impotente, a sus transformaciones, que sigue, o en el mejor de los casos, las acompaña, pero de las cuales no decide nada. Reglas y primeras eyaculaciones desde ese momento pueden aparecer como acontecimientos traumáticos.

Por otro lado, el adolescente se ve obligado a asumir un físico que no ha elegido: no ha elegido nacer chico o chica, ser grande o pequeño, moreno o rubio, tener unos ojos, una nariz, una boca, orejas, etc., que le gusten más o menos. No sólo él no lo ha elegido, sino que lo ha heredado. El cuerpo es, en efecto, el fruto de la unión de los padres: los parecidos que se adivinan son la marca de una pertenencia familiar contra la cual el adolescente puede estar en rebelión. Cada parte del cuerpo y, sobre todo, el rostro, será objeto de comentarios que tienen a menudo el efecto de exasperar al adolescente: «Tienes la nariz de tu madre, los ojos de tu padre, la sonrisa de tu abuela…». ¿Hay algo que le sea propio de todo eso? Esa herencia puede ser bien vivida si el adolescente la acepta y no sufre complejos demasiado importantes. Pero si está insatisfecho, si tiene demasiadas cuentas que arreglar con sus padres, si tiene demasiada inseguridad, la tentación de querer reapropiarse de ese cuerpo heredado y sufrido será grande, no dándole valor, lo que supondría que el adolescente acepta su filiación, sino atacándolo, destruyéndolo, deformándolo con un *look* provocativo (ropa, peinado), o con esas marcas identitarias que son los tatuajes y los *piercings* (cf. pregunta 73, p. 176), o incluso con otras formas de agresión.

Atacando lo que ha recibido de sus padres el adolescente se reapropia un poder igual al suyo. Aceptándose tal como es muestra que acepta también a sus padres y lo que ellos le han dado en herencia (cf. pregunta 6, p. 29).

Sin embargo, en el trastorno que constituye la adolescencia, el cuerpo permanece también como una referencia tangible de la continuidad del sujeto. Nos encontramos ante la paradoja de que el cuerpo, por el hecho de las modificaciones pubertarias, es el principal factor de las transformaciones que afectan al adolescente pero también un referente que le ofrece una cierta constancia y permanece como garantía de su continuidad.

Además, el cuerpo es a la vez lo más personal y más íntimo que se posee, y lo que permanece siempre un poco externo y extraño. Obedece al individuo, constituye su envoltorio protector, lo individualiza y da testimonio de su continuidad. Sin embargo, constituye también una traba a los deseos megalómanos, limita y traiciona a aquel a quien pertenece, ya que revela por sus emociones lo que este último habría deseado tener en secreto. Permanece como el lugar privilegiado de expresión de las emociones. Es lenguaje y medio de comunicación. Muestra y contribuye por eso a asegurar la identidad. Por otra parte, es notable que toda angustia conlleve una expresión somática.

En caso de conflicto mayor de identidad, el cuerpo puede servir para asegurar el mantenimiento de una unidad desfalleciente. La reivindicación del derecho a la diferencia es uno de los medios privilegiados de que dispone el adolescente para afirmar una identidad que sus conflictos y su profunda dependencia de los padres amenaza constantemente. Este derecho a la diferencia se ha expresado esencialmente en los años cincuenta y sesenta por medio de la reivindicación de una sexualidad diferente. Actualmente, este tema se ha desplazado al derecho a disponer de su cuerpo a su manera, incluyendo incluso formas extremas como el derecho a dominarlo o a destruirlo: el suicidio, la anorexia mental, la moda punk, las múltiples formas de sumisión y de ofrenda del cuerpo con fines sádicos, etc.

Así, a través del cuerpo, heredado de la unión de los padres, es la relación con estos la que está en juego de nuevo. El adolescente vive las transformaciones impuestas por la pubertad como una actualización de su sumisión infantil a los padres. Los que han resuelto mal este periodo y permanecen demasiado dependientes de sus padres soportarán mal la confrontación y estarán tentados de reaccionar de una u otra manera.

En efecto, este cuerpo en mutación, lugar esencial de expresión de las transformaciones de la pubertad, efectos de la fisiología y no del poder del sujeto, escapa a su dominio, que es una de las adquisiciones importantes de la «edad de la razón» o fase de latencia. El adolescente puede creerse dueño de sus pensamientos y de sus ideologías, pero sufre su cuerpo y asiste, impotente, a sus transformaciones. El cuerpo es el representante de la necesidad: «Tu eres un chico, tu eres una chica, eres así, no eres de otro modo». Esta necesidad remite a los adolescentes a su vivencia de pasividad y de dependencia con relación a sus padres, y les lleva a apostrofarles con un: «Yo no he pedido nacer». Este cuerpo extraño, que pierde con la adolescencia su familiaridad, que será necesario reaprender a amar y a estar de acuerdo con su imagen, es también un cuerpo incestuoso, portador de deseos y fruto de la unión de los padres.

Por todas estas razones y porque el cuerpo es un elemento esencial de la identidad, la cuestión de la relación con el cuerpo está en el corazón de las dificultades de la adolescencia.

11. Mi hijo es bajito, mi hija está rellenita. ¿No serán el hazmerreír de sus compañeros?

Las diferencias de aspecto físico son a la vez exacerbadas por la pubertad y particularmente mal toleradas por los adolescentes. Es su propia imagen la que está en juego, en un periodo de su vida en el que tienen la impresión de que se les cuestiona su identidad, y su identidad sexual en particular. No es casualidad si los complejos de los chicos se concentran en su talla, generalmente asociada a la virilidad, y los complejos de las chicas en su peso. Habitualmente, estos complejos son objeto de lamentos, pero no son los únicos que pueden afectar a los adolescentes: todas las diferencias físicas son susceptibles de cristalizar las inquietudes y las insatisfacciones de los adolescentes.

En efecto, los adolescentes son particularmente sensibles a estas diferencias; por eso se amparan inmediatamente entre sus compañeros, para desmarcarse y reasegurarse burlándose de alguien que parece estar en más dificultad que ellos. Nos sorprende la ferocidad, aparentemente creciente, de la cual dan prueba los jóvenes unos con otros, ferocidad que se ejerce sobre todo sobre su apariencia física. Al menos no son seguramente tan feroces como lo eran en otros tiempos, pero lo expresan mucho más directa y abiertamente que en el pasado. Se puede ver en esto un efecto de la disolución de los valores tradicionales, en detrimento del éxito escolar sobre el cual parece que debe sobresalir el aspecto físico, ya que el *look* es lo que da valor a un adolescente para su grupo de edad. La ropa, bolsos, zapatillas de deporte y otros accesorios marcan la pertenencia de un adolescente a un grupo y participan ampliamente en su reconocimiento, signos todos que llegan a ser particularmente coactivos por su formalismo en la edad en que, paradójicamente, los jóvenes se querrían libres de toda influencia y de toda dependencia.

Sea lo que fuere, desdicha para el que no está conforme con las reglas implícitas de este nuevo *establishment*. Se convierte rápidamente en objeto de burlas y de medidas vejatorias: sus «defectos» le son claramente dichos y arrojados a la cara sin rubor y sin miramientos.

Ahora bien, la pubertad es en sí misma la instigadora de las desigualdades más diversas entre los adolescentes. Sus efectos se hacen sentir a un ritmo y bajo formas extremadamente variables de un individuo a otro, de manera que favorece diferencias importantes. Una pubertad un poco tardía o demasiado precoz contribuye a marginar a quien se ve afectado. Una diferencia de 5 o 6 años, considerable en este periodo de la vida, puede abrir un abismo importante entre los adolescentes: una pubertad que debuta precozmente hacia la edad de 10 u 11 años puede favorecer la aparición de trastornos diversos (depresión, aislamiento, trastornos del comportamiento alimentario y/o sexuales, como las conductas de provocación que se encuentran sobre todo en ciertos adolescentes), mientras que un retraso de la pubertad hace a quien lo sufre parecer como un niño a los ojos de sus compañeros, aunque a veces sean mucho menos maduros afectiva y psicológicamente que él.

Un retraso en la aparición de los caracteres sexuales secundarios puede ser particularmente mal vivido por los chicos, y puede llevarles a deprimirse, a aislarse o, al contrario, a buscar compensar lo que viven como un handicap agitándose y llamando la atención con una actitud, con propósitos o gestos provocadores que consideran que les dan valor a los ojos de sus compañeros. Intentar compensar estos complejos físicos comiendo demasiado puede igualmente conducir a dificultades parecidas, especialmente por el aumento de peso que se produce. Porque la obesidad por ejemplo, sean cuales sean los múltiples factores, toma desde la infancia una significación en la relación con los otros. Puede ser una especie de escudo o de caparazón que protege a la adolescente de una confrontación demasiado directa con la sexualidad y con la seducción; pero también puede tener un valor masoquista, ya que permite llamar la atención (lo que desea la adolescente) pero de forma dolorosa, desvalorizante. Las reacciones negativas de los otros contribuyen muy a menudo a reforzar este comportamiento masoquista más que a motivar a la adolescente a que se dé los medios para ejercer la seducción que tanto desea. A menos que no la empujen a adoptar, por desafío, la reacción inversa, es decir, una conducta anoréxica.

Los padres deben ser conscientes que toda «anomalía» física, sea real o vivida como tal por el adolescente, puede ser para él fuente de dificultades psicológicas y de sufrimiento. Pero eso es una posibilidad, y no una regla sin excepciones; por lo tanto, no es preciso que los padres estén más preocupados que el mismo adolescente. Ciertos padres hostigan literalmente a sus hijos, con sus miradas desaprobadoras, sus observaciones diversas o con comparaciones molestas. Corren el riesgo de transformar un pequeño problema de peso (por ejemplo, redondez de la chica o endeblez del chico) en una lucha de poder entre padres e hijos del mismo sexo. Eso no es ayudar a su hijo a tener confianza en sí mismo y en sus capacidades de cambio para obtener lo que desea.

Hacer como si no se viera nada no es una solución. Entre estas dos actitudes un poco extremas, es posible esperar paciente y tranquilamente la ocasión adecuada para hablar del problema físico en cuestión. Hay que hacerlo escuchando lo que siente el adolescente, ayudándole a relativizar la situación y mostrándole la confianza que se tiene en sus capacidades para encontrar un día, sabiendo no precipitarse, un equilibrio satisfactorio. Puede, según la necesidad, buscar en el exterior una ayuda apropiada, consejos de amigos, actividades deportivas o artísticas, o incluso una psicoterapia… esta elección le pertenece.

Por el contrario, hay que evitar buscar aliarse con el/la adolescente contra los otros, los compañeros faltos de delicadeza, ya que eso no haría más que contribuir a encerrarlo en un sentimiento de persecución que, aunque sea justificado, no deja de ser siempre una trampa peligrosa que puede animarlo a aislarse y a replegarse en su familia. Es mejor ayudarle a relativizar esas críticas, a tomárselas si es posible con humor y, sobre todo, a no desdeñar sus triunfos y sus cualidades bajo el pretexto de que tiene algunos defectos. Evidentemente, esto no será suficiente para apaciguarlo de forma mágica, pero los padres han de poder creer en la influencia benéfica del paso del tiempo sin exigir de su hijo que también se adhiera, con su poca perspectiva, a su visión positiva de las cosas. Pues los padres son los garantes a medio y a largo plazo de las potencialidades de su hijo y de su completo desarrollo. Incluso si están heridos en su amor propio por las dificultades actuales, sobre todo no deben perder de vista que en primer lugar les corresponde a ellos creer, de manera realista pero inquebrantable, en los recursos del adolescente.

La firmeza de su posición es para el adolescente el mejor medio de reasegurarse, aunque buscará siempre de manera obstinada poner en duda y someter a prueba la convicción de sus padres.

12. ¿Es normal que se ponga roja cuando se emociona?

Enrojecer no tiene nada de anormal, pero quien enrojece puede experimentar fastidio. Aunque es más frecuente en las chicas, que por otro lado lo toleran mejor, este fenómeno concierne también a los chicos.

Ponerse rojo es una de las manifestaciones típicas de la pubertad y aparece específicamente en esta etapa. Es uno de los ejemplos de esa traición del cuerpo que, para el adolescente, desvela a los ojos del mundo los pensamientos y deseos de su mundo interior. Se ha convertido en el teatro en el que sus rubores son de alguna manera el faro que revela sus emociones íntimas.

Ponerse rojo –y la vergüenza consiguiente– es una de las manifestaciones más notables del temor, tan central en la adolescencia, de perder el control de sus emociones e, incluso, de todo lo que es interior. Este temor contribuye al miedo y al rechazo de emociones que el adolescente asocia al mismo tiempo a una regresión infantil y a una pérdida de control que expone a la mirada de los otros su intimidad corporal.

Lo importante es que el/la adolescente no se centre en su rubor y no lo convierta en un elemento determinante en su relación con los demás. Cuanta menos importancia le conceda, más rápidamente desaparecerá; podrá incluso ser un encanto más que un estorbo. Desgraciadamente, el adolescente corre el riesgo de darle más importancia cuanta menos confianza tenga en él y se encuentre más pendiente de la mirada de los demás. La intensidad misma de las ganas de ser mirado/a y del placer que podría obtener puede transformarse en una fuente de desagrado.

El/la adolescente piensa que todo el mundo lo/la mira y, a causa de su rubor, puede aparecer un sentimiento de vergüenza, de ridículo, incluso de persecución, Si el/la adolescente es consciente de que su fastidio es proporcional a sus ganas de ser mirado/a, puede y debe buscar los medios de ser visto/a y apreciado/a como lo desea, es decir por sus cualidades y no por su malestar (cf. pregunta 15, p. 60).

13. ¿Qué hacer si no tiene ganas de reír ni de divertirse?

He aquí una situación frecuente en la adolescencia que no debe inquietar sistemáticamente: es normal tener momentos de tristeza y de repliegue sobre sí mismo. Es incluso importante que estos momentos puedan ser superados por el adolescente y soportados por el entorno. No aceptar esos momentos de depresión es correr el peligro de hacer creer al adolescente que sus padres son demasiado frágiles para eso y que de alguna manera debe poner buena cara para no agobiarles. Es hacer del adolescente el «terapeuta» de sus padres, papel abrumador que lo coacciona a sacrificarse por ellos.

Sin embargo, tampoco es deseable que los padres abandonen al adolescente a su malestar. Todo lo que un adolescente muestra tiene, en efecto, un valor de mensaje dirigido a su entorno. Y no responder supone dejar al adolescente solo frente a lo que amenaza con hundirlo. Hay pues, una vez más, que encontrar un equilibrio entre dramatizar e ignorar. Ese equilibrio está en función de la duración, de la intensidad, pero también de las repercusiones de ese estado en el conjunto de las actividades del adolescente.

No poder manifestar alegría o placer, ni participar en el de los demás, manifiesta la crispación del adolescente, desbordado por lo que le sucede. Se siente amenazado y moviliza su energía para contener en su interior emociones que se siente incapaz de dominar. Estas emociones son muy a menudo indecibles, hechas de sentimientos y de deseos contradictorios. Son estas mismas contradicciones las que explican el carácter delicado de la respuesta que hay que dar al malestar percibido en el adolescente. Puesto que esta respuesta, el adolescente la soporta peor cuanto más ardientemente la desea… A menudo es la intensidad misma de este deseo la que le es insoportable, como si aceptar esperar algo de los adultos fuese someterse y no existir más por sí mismo.

Esta morosidad es típica de pasajes difíciles de la adolescencia (cf. pregunta 19, p. 68). El adolescente desea que un adulto intervenga para ayudarlo a salir de ese estado y, al mismo tiempo, está exasperado por esta espera… ¡Tendría que desaparecer, mágicamente, su malestar! Felizmente, esto sucede a veces. Casi siempre gracias a una intervención imprevista, independiente de las personas más próximas, y en particular de los padres. Es más eficaz cuando coge al adolescente desprevenido y no vive su cambio de humor como una capitulación.

Este último punto es capital y condiciona a menudo la reacción del adolescente. De ahí el interés de las mediaciones que consisten en alcanzar al adolescente de manera indirecta. Una manera encubierta de darle la atención que requiere sin que se dé cuenta. Los animales domésticos juegan a menudo ese papel. Por eso pueden ser tan útiles para el equilibrio de una familia, y convertirse en el vector de los vínculos demasiado cargados afectivamente para ser abordados directamente. Actuar conjuntamente en favor de compañeros en dificultad o de una causa externa permite así mismo al adolescente recuperar la unión con sus padres y relajarse sin darse cuenta.

Pero hay situaciones en las que se impone una intervención más directa de los padres. Por ejemplo, cuando la tristeza del adolescente perdura, se instala y llega a ser para él una manera de ser permanente... O cuando las repercusiones se hacen sentir sobre la vida social, afectiva y escolar. Los padres deben, entonces, saber intervenir tranquila pero firmemente, con el fin de tener en cuenta sus preocupaciones.

Cuanto más rechace el diálogo el adolescente, más hay que insistir para obtener una explicación. Los padres pueden recurrir a un mediador llamando a un tercero o por medio de una consulta con el médico de familia o el psiquiatra. Es importante precisarle al adolescente que esta consulta no significa que esté enfermo, pero que es necesario constatar que no parece feliz, que sus padres tienen derecho a inquietarse, incluso sin razón, y que lo mejor es tener una opinión externa. El adolescente debe hacerlo por sus padres, si no lo hace por él. En cuanto a los padres, es esencial que estén persuadidos de que es su deber emprender esta gestión y de que ésta no depende únicamente de la opinión de su hijo.

Demasiado a menudo, hoy en día, los padres, que tienen miedo de un conflicto abierto con su hijo, se amparan tras el rechazo de este último para no hacer nada. Actuando así, lo abandonan a su suerte. Eso significa no comprender ni la espera que se esconde tras esta actitud de rechazo, ni la paradoja central de esta edad: cuanto mayor es la espera, menos aceptable es, porque su intensidad la convierte en intolerable frente a la imagen que se quiere tener de sí mismo. Se convierte en hiriente e incluso humillante (cf. pregunta 7, p. 30).

14. ¿Cómo debo reaccionar si no habla?

Muchos padres se inquietan por el silencio de sus hijos en la adolescencia. Pero, desde el punto de vista de muchos adolescentes, para qué hablar si no se sabe bien lo que habría que decir... O incluso, para qué hablar si se tienen tantas cosas que explicar que no se sabe por dónde empezar… La mayoría de las veces, sean tímidos o no, los adolescentes no toman la palabra, aunque sueñan poder por fin confiarse a una persona que los comprenda. Una especie de doble, un hermano mayor o una hermana… Y, a falta de ellos –y más a menudo ellas–, emborronan páginas de un diario íntimo, algunas veces con la secreta esperanza de que sea por fin descubierto y leído.

Estamos siempre en presencia de la misma contradicción: la espera confusa de ser comprendido opuesta al miedo de ser transparente, a merced de los demás. Él o ella no habla, aunque no soporta tampoco que le hablen y, menos todavía, que los demás hablen entre ellos y se sienta por eso excluido/a.

Paradójicamente, nada es más «comunicativo» que el mutismo de un adolescente. Su silencio basta para transformar el ambiente de toda una familia. Se crea inmediatamente una tensión que paraliza a todo el mundo e impide a los padres ser naturales. Si nadie habla, el adolescente se lamenta de la morosidad ambiental, pero si se habla o se bromea, no ve lo que tiene de graciosa la situación y manifiesta la falta total de interés en lo que se dice.

¿Cómo se puede encontrar la distancia adecuada en esas condiciones? A menudo recurriendo a un tercero o a otra forma posible de mediación. Paciencia y humor por regla general funcionan bien en estos bloqueos temporales. En cambio, si persisten, o si se trata de un cambio brutal de comportamiento en un adolescente hasta ese momento locuaz, es preciso considerar este mutismo como un síntoma y buscar contrarrestarlo por los medios propios de la familia o la llamada a una ayuda exterior. Esta mediación puede encontrarse en el seno mismo de la familia. Así, un adolescente que no habla en presencia de su madre se confiará más fácilmente a su padre, o a uno de sus abuelos, o a una persona significativa de su entorno. Lo importante es que la persona con la que el diálogo es más difícil no lo viva como un ataque personal y no reaccione, a imagen del adolescente, encerrándose a su vez en el silencio.

Comprender el bloqueo de un adolescente ayuda a tomar distancia con relación a sus reacciones. Esto permite no convertirlo en un asunto personal y autoriza a alguien menos directamente implicado a intervenir, más que a culpalizarse sin fin y esforzarse por cambiar cueste lo que cueste, para conformarse mejor a las supuestas expectativas del adolescente. Esta última actitud, por otra parte, no hace más que acrecentar muy a menudo la necesidad de oposición del adolescente, que se encerrará más en sí mismo para escapar al dominio de sus padres.

15. ¿Qué hacer si mi hija es tímida?

La timidez no es una enfermedad. Corresponde habitualmente a una reacción posible en los adolescentes frente a una situación nueva que tienen la impresión de no controlar bien. Invasora y creciente, la timidez puede, sin embargo, revelar graves dificultades que hay que saber tener en cuenta.

La timidez no es propia de la adolescencia. Se manifiesta muy particularmente en ciertos periodos del desarrollo infantil. La pubertad es un momento privilegiado. Se suele considerar como el primer prototipo de la timidez lo que se llama «la angustia del octavo mes». Es decir, ese periodo situado entre el sexto mes y el año, en el que el bebé manifiesta miedo ante todo lo que es extraño a las figuras que pueblan su entorno cotidiano. Esto corresponde a su toma de conciencia progresiva de la existencia, propia y distinta de él, de las personas que le son familiares, en particular de su madre. Paralelamente, toma conciencia de su propia existencia. Pero, al mismo tiempo que esta toma de conciencia, sobreviene la de que su cólera y su agresividad se dirigen igualmente a la persona que le da placer, cuidados y que lo ama. En un esfuerzo para proteger a la persona amada, el niño proyecta lo malo sobre lo extraño, lo desconocido. Llama la atención constatar que los bebés que focalizan lo malo en un elemento preciso –por ejemplo la comida, en el caso de la anorexia precoz de un niño de pecho– no tienen ese miedo de lo extraño y se muestran por el contrario particularmente agradables.

Más tarde, en ciertos momentos claves de su evolución, el niño encontrará mecanismos parecidos e intentará proyectar lo que le inquieta sobre lo no familiar. La timidez es una de las manifestaciones. Estos momentos claves corresponden a periodos que requieren particularmente la ambivalencia de los sentimientos del niño, es decir, la convivencia de sentimientos opuestos tales como el amor y el odio, el deseo de acercarse y el deseo de rechazar proyectados en una misma persona, una persona a la cual está particularmente unida y de la cual es muy dependiente, preferentemente la madre.

Así es habitual ver aparecer fases de timidez entre 3 y 6 años, en el momento en el que el niño se debate entre su deseo de relación privilegiada con su madre y las ganas de gustar y de seducir a otras personas, entre ellas su padre, pero con el temor de que sus nuevos deseos no le hagan perder el amor materno, que desearía exclusivo.

La timidez representa un compromiso entre estos deseos contradictorios que lo conducen a hacer lo contrario de lo que tendría ganas: retraerse allí donde desearía ser el primero y conquistar ese mundo nuevo que lo tienta. Este retraimiento llama la atención, pero de forma masoquista: el niño espera inconscientemente del otro que actúe como a él le hubiera gustado hacerlo, que vaya hacia él y dé muestras de una actitud conquistadora.

Este movimiento de inversión del deseo en su contrario se ilustra bien porque cuando el tímido consigue superar su timidez (porque ha bebido un poco, porque el ambiente se presta, porque le han dado confianza o por cualquier otra razón), es frecuente que él, o ella, se muestren particularmente prolijos, expansivos, que incluso les sea a veces difícil encontrar los límites, la distancia adecuada.

En esta espera y en esta escenificación masoquista de la timidez hay algo de específicamente femenino y designado como tal por nuestra cultura: el espanto que acompaña a una seducción falsamente disimulada. Posiblemente es por esto que la pregunta adviene naturalmente bajo la forma: «Mi hija es tímida», y no «Mi hijo es tímido».

En la chica, cualquier acceso de timidez corresponde en general a momentos de atracción acrecentados por el padre al mismo tiempo que esta atracción aparece contradictoria con una importante dependencia afectiva de la madre. ¡Pero la timidez existe también en el chico! Además es a menudo sentida como algo femenino, sentimiento que no hace más que agravarla por lo que implica de posición pasiva de espera. Este sentimiento se explica probablemente también porque, para el adolescente, esta timidez se dirige a los otros hombres, a los cuales le gustaría agradar, para recibir de ellos o para robarles la fuerza y el poder que les atribuye.

La adolescencia es un momento privilegiado de expresión de la timidez: la pubertad viene a exacerbar la ambivalencia de los sentimientos, así como los deseos de seducción y de poder. La sexualización del cuerpo no hace más que acrecentar deseos y temores. Contribuye a una implicación particular del cuerpo que se manifiesta bajo una forma específica en esta edad, aunque puede perdurar mucho más allá: el rubor (cf. pregunta 12, p. 55). Constituye un símbolo de la problemática de la timidez. Viene a revelar un gran día y a los ojos de todos lo que la adolescente desearía esconder: que está afectada por la situación. Mientras que deseaba parecer fría e indiferente, el rubor, pero también el fastidio y la torpeza propias en esta edad, vienen a señalar hasta qué punto se siente en realidad concernida por la mirada de los demás. Pero si se siente concernida es porque está esperando esa mirada. Pero en lugar de ser triunfal, esta espera se transforma de manera masoquista en desastre. Desastre que exagera, evidentemente, pero que esta exageración no hace más que acentuar. Sentirse enrojecer agrava el rubor. La vergüenza, otra emoción ligada a la timidez y también específica de la adolescencia, es la traducción psíquica del malestar físico.

La timidez es la expresión de la conciencia que tiene el yo de su fallo en dominar sus emociones y la revelación de su debilidad y de su impotencia para responder a las exigencias de sus ideales. Estos están construidos a partir de la imagen idealizada que el adolescente tiene de la persona a la cual está más unido y que le sirve de modelo de referencia.

Sin embargo, hay que tener cuidado: sobre todo no hay que dramatizar la timidez, reacción relativamente natural que tiene sus ventajas, puesto que ayuda al adolescente a controlar sus impulsos. Con la condición de que pueda superar progresivamente su fastidio. La mejor manera es que tome confianza en ella misma y que pueda afirmarse sin miedo de perder la estima, la protección y el amor de la persona o de las personas de las que teme ser juzgada. Al ser estas personas muy a menudo sus padres, la superación es más cómoda fuera de la familia.

Por eso es útil incitar a los tímidos a salir de la envoltura familiar. La sobreprotección, aunque sea condescendiente y comprensiva, es siempre nefasta y no hace más que agravar la situación, y refuerza la dependencia del interesado/a. La mejor ayuda que la familia puede aportar a un niño tímido es saber, de vez en cuando, con tacto y mesura, forzar las cosas y, de alguna manera, prescribirle salir para darse la oportunidad de tener placer y de valorarse, cosa que desea pero que no osa concederse a sí mismo.

Allí donde el/la adolescente temen inconscientemente la prohibición parental, la prescripción del padre transformará en obligación lo que es deseado. El deseo, paradójicamente, se hace más aceptable.

16. ¿Es grave que sea intransigente?

Si la timidez es fácilmente percibida como femenina, la intransigencia pasa por ser viril. Sin embargo, no es tan diferente de la timidez, ya que aporta una respuesta opuesta a una situación de base común. Como la mayoría de las veces, la oposición o el exceso remiten a su contrario. Allí donde la timidez disimula tras su desaparición su deseo de ocupar el primer plano de la escena, de seducir a los hombres y de aplastar a sus rivales, el intransigente alardea de una seguridad y de una rigidez que esconden su vulnerabilidad y su miedo constante a que su valor o incluso su identidad sean amenazados.

El intransigente vive a la defensiva. Es una manera de prevenirse contra lo que parece ser una debilidad a los ojos del adolescente: el riesgo a ser inundado por sus emociones. El sentimiento de desarraigo, las ganas de llorar, la tristeza y la soledad, la necesidad de ser apoyado y atendido, las ganas de dejarse llevar que supone el miedo a no poder controlarse, la pasividad y lo femenino están a menudo asociados.

Todas estas ganas y estos miedos son particularmente incitados por el inicio de la pubertad y lo que ésta despierta de deseos regresivos y de ganas pasivas de recibir y de llenarse. Muchos chicos, pero también chicas, que tienen tendencias depresivas y ganas de dejarlo todo (es decir que han sufrido sentimientos de soledad y de abandono durante su infancia y que tienen tendencia a ponerse en situaciones en las que provocan estas actitudes por parte de los otros) se vuelven rígidos desde los primeros signos de la pubertad y adoptan actitudes opuestas a sus deseos reales a causa de los miedos que les suscitan.

Se muestran particularmente intransigentes, duros, insensibles a la piedad, despiadados y despreciativos hacia los débiles, a los que identifican con esa parte de ellos mismos que rechazan. Ligados a un sufrimiento no elaborado durante la infancia, esa parte no aceptada de ellos mismos, les conduce a rechazar todo lo que les parece estar en relación con ese periodo, es decir lo infantil, confundido aquí con lo pueril (cf. preguntas 4 y 84, pp. 21 y 194). Van a la búsqueda de modelos adultos que puedan confirmar sus defensas y son presas particularmente vulnerables para ciertas sectas o ideologías de la fuerza y el orden. Porque, paradójicamente, las personas de apariencia dura se sienten interiormente como personas débiles y potencialmente miedosas. Su necesidad de comprensión y de apoyo, y lo que permanece en ellos de infantil, les conduce a adherirse a sus modelos, líderes o ideologías, sin reserva y sin espíritu crítico, como un niño busca refugio en los brazos protectores de un padre.

Las adolescentes a menudo toleran mejor los resurgimientos de las necesidades de su infancia. Las acogen de manera más flexible y no las resienten tanto como amenazas para la nueva imagen que ellas mismas se están construyendo.

Existe toda una gama posible de reacciones de intransigencia. Pueden concernir a todos los sectores de la vida (posiciones ideológicas, religiosas, políticas, gustos alimentarios, costumbres, ropa, etc.), simultáneamente o de una en una, y son muy a menudo pasajeras. El punto común es una crispación brutal sobre una elección que se hace indiscutible y cuya rigidez incluso sirve de explicación. De este modo, el adolescente ha balizado su territorio, ha plantado su bandera; se presiente verdaderamente que es su propia imagen, incluso su identidad, lo que está en juego.

No es oportuno atacar de frente sus convicciones. Estableciendo una relación de fuerza no haríamos más que acrecentar la intransigencia del adolescente. Pero tampoco estamos obligados a adherirnos o a ser sus fiadores, y aún menos a dejarnos tiranizar. Parece incluso deseable que los padres, y los adultos en general, sepan guardar sus propias convicciones. Eso parecerá más asegurador al adolescente que una actitud que le confirme que nada se resiste a sus deseos. Además, el adolescente intransigente tiene necesidad de marcar su diferencia afirmándose y oponiéndose. La ausencia de oposición lo empuja a menudo a una escalada, hasta que se topa con un límite a partir del cual sus padres rechazan seguirlo.

En función de la edad y de la naturaleza del compromiso, los límites pueden y deben ser puestos por los padres, pero la mejor respuesta a la intransigencia de un adolescente continúa siendo desdramatizarla y que el adolescente se abra a otros centros de interés, sosteniéndole en sus éxitos y en sus puntos fuertes. Frecuentemente, estas rigideces permanecen pasajeras y fluctuantes hasta que el adolescente está en condiciones de elegir más libremente, y con menos coacciones interiores, su propia vida.

17. Es un egoísta. No piensa más que en él... ¿Se le pasará con el tiempo?

El egoísta es definido, de manera humorística, como «el que no piensa en mí...». Tras la humorada se esconde una cierta verdad. La persona que reprocha al adolescente su egoísmo lo expresa a menudo de una manera que le hace pensar que no lo tiene suficientemente en cuenta. El reproche corre el riesgo de instalar una relación sadomasoquista de hostigamiento recíproco entre el adolescente y uno de sus padres, si no es con los dos.

La frecuencia de esta situación hace aparecer el egoísmo como una forma de defensa por la cual el adolescente intenta escapar a lo que él resiente, con razón o sin ella, y a menudo un poco las dos, como un control parental. Crea una barrera protectora, una muralla que lo proteja de una sumisión pasiva a los deseos del entorno.

Tratarlo de egoísta es hacer un juicio de valor sobre su persona, y se corre el riesgo de desvalorizarlo y de reforzar su sentimiento de persecución. La mayoría de las veces la herida narcisista que eso conlleva debilita al sujeto y lo empuja a confirmar su comportamiento. Más vale intentar desplazar el centro del conflicto procurando poner límites a las actitudes que plantean problema, que juzgar al individuo en su globalidad. Por ejemplo, se puede decidir en familia que los hijos participen desde ese momento de tal o cual tarea, e intentar evitar una confrontación que conduce en general a una escalada entre el adolescente y el padre más implicado. Si el bloqueo es demasiado importante, recurrir a un tercero es siempre un medio de desdramatizar la situación. Éste es el interés de las terapias familiares.

18. ¿Qué hacer si es inestable?

La inestabilidad concierne más a menudo a los chicos que a las chicas. Se traduce en la imposibilidad de estarse quieto, en la necesidad incesante de hacer algo, en la dificultad de escuchar y de concentrarse en actividades sedentarias. Se añade habitualmente la necesidad de maltratar al entorno y de provocarlo. El adolescente inestable no tolera las advertencias ni las reprimendas, experimenta un sentimiento de injusticia, no acepta ser culpable y arroja la responsabilidad sobre los demás, tiene necesidad de hacerse notar y no soporta la soledad. En resumen, se tiene el sentimiento de que tras esta agitación se esconde una gran vulnerabilidad, un niño infeliz y solo, que no llega a encontrar un lugar que sea bueno para él en el que pueda instalarse.

La inestabilidad asociada a una agitación motora, que puede ser la necesidad de hablar todo el tiempo, características psicológicas que, todas, denotan una imposibilidad de esperar, de contener las tensiones y de tolerar los conflictos y las emociones de tonalidad depresiva que podrían cuestionar al propio adolescente.

Esta doble dimensión de la inestabilidad muestra que junto a factores que pueden estar ligados al temperamento (que tienen eventualmente una causa hereditaria), existen factores psicológicos, seguramente favorecidos por los primeros, que revelan la hipersensibilidad de estos jóvenes a su entorno y, por eso mismo, su vulnerabilidad: no encuentran en ellos los medios de contener y de gestionar las tensiones que les afectan, ya vengan del exterior o del interior.

El sostén que puede aportar el entorno a estos adolescentes es importante. Les sirve de envoltorio protector y les ayuda a pensar y a elaborar sus tensiones. Por el contrario, si estos adolescentes son inestables, es también porque su infancia ha estado marcada por una carencia, principalmente en la capacidad del entorno para ayudarles a hacer frente a situaciones dadas. No es raro, por lo demás, que nos encontremos con situaciones familiares difíciles, con condiciones de educación caóticas, con traumatismos sexuales u otros tras una adolescencia inestable. O incluso, más simple pero más difícil de detectar, puede tratarse de una relación de «sobreestimulación» del entorno, que no ha sabido sintonizar con las necesidades del niño para instalar una relación apaciguadora.

Así, es frecuente que el niño haya sido objeto de una atención particular por parte de su madre, más expresada bajo la forma de la inquietud y de la reprimenda que de la preocupación tranquila. Cuando se hace mayor, el niño desarrolla una relación en la que solicita sin cesar la atención de su madre mediante su agitación o sus tonterías. La insatisfacción recíproca se convierte en un medio de gestionar una relación demasiado íntima y demasiado excitante para ser soportable en el placer y la satisfacción compartidos (cf. pregunta 7 y 79, pp. 30 y 186).

La inestabilidad es siempre un estado que hay que tomar en serio, ya que, una vez instalado, tiene graves consecuencias. Rápidamente se refuerza a sí misma. Conduce al fracaso escolar, es fuente de reprimendas y de rechazo, que lo único que provocan es desestabilizar todavía más al niño y confirmarle su comportamiento. También, lo antes posible, hay que intentar invertir la situación elaborando estrategias de apaciguamiento y de valorización del niño.

Las formas mayores de inestabilidad pueden desembocar en dificultades de aprendizaje invalidantes para el adolescente, que corre el riesgo, si las sufre, de ser expulsado de todas partes. En este tipo de situación, y después de un balance hospitalario previo obligatorio, es posible considerar la prescripción de Ritaline. Este medicamento puede tener efectos positivos sobre las capacidades de concentración y los resultados escolares, pero, cuidado, se trata de una anfetamina, es decir, de un producto psicotrópico que habitualmente tiene efectos excitantes. Paradójicamente, este medicamento calma la hiperactividad, pero tiene el riesgo de la dependencia.

Además, la toma de medicación no debe sustituir una ayuda psicoterapéutica individual o familiar, muy a menudo indispensable.

19. ¿Qué hacer si no le interesa nada?

Es muy desconcertante, para los padres que tienen en general tendencia a imaginar que un adolescente se apasiona por todo, constatar que su hijo parece que no se interesa por nada. Esta especie de aburrimiento crónico se instala progresivamente, a menudo desde el principio de la pubertad.

Los adolescentes que están afectados, mayoritariamente chicos, no expresan ninguna crítica ni ninguna motivación. Se contentan con hacer el mínimo vital para ser aceptados tanto en la escuela como en su casa. No saben lo que harán en un futuro. No parecen estar interesados por la vida y dicen no temer la muerte, hasta se reprochan fácilmente no tener bastante coraje para suicidarse. Pero, paradójicamente, no es raro que se inquieten o que les dé pánico la mínima pupa. No soportan estar enfermos, amenazan con desvanecerse ante la perspectiva de un simple pinchazo y se preocupan con insistencia del buen funcionamiento de su cuerpo.

El humor de un adolescente así es a menudo cambiante y puede oscilar entre una cierta euforia, en general pasajera, y un estado huraño, sarcástico y pesimista, más habitual. Ciertos trastornos de personalidad afectan comúnmente su personalidad: susceptibilidad e irritabilidad fundamentales, momentos de franca agresividad, incluso violencia, la mayoría de las veces dirigida contra las personas más próximas afectivamente. Este adolescente adopta dos tipos de actitudes:

◇ Una, apática, indiferente, flemática y distanciada, no desprovista de humor, calma y un tanto gentil en apariencia, pero que puede ser disimuladora.

◇ La otra, caprichosa, siempre impetuosa, susceptible e irritable, más colérica y agresiva.

¿Qué les sucede a estos adolescentes? Primero hay que diferenciar bien a los que la falta de interés remite a un contexto depresivo y en los que esta falta está ligada a una evolución psicótica de tipo esquizofrénico.

En el primer caso, la ausencia de interés se acompaña de signos manifiestos de sufrimiento psíquico, lo que llamamos un dolor moral, hecho de autocríticas, de desvalorización y de autoacusaciones, sufrimiento psíquico a la par que un abatimiento físico y una disminución de los pensamientos como de los gestos. Hay que tener en cuenta posibles antecedentes familiares de depresión (cf. preguntas 9, 20 y 86, pp. 40, 72 y 199).

En el segundo caso, son las rarezas de los pensamientos o de las actitudes, la hostilidad franca e incontrolada, la caída del rendimiento escolar y de las posibilidades intelectuales, el retraimiento social pronunciado, el rechazo al contacto lo que debe alertar. No están excluidos, sin embargo, los signos depresivos (cf. preguntas 87 y 96, pp. 203 y 216).

La consulta de un psiquiatra y un tratamiento específico, especialmente farmacológico, son obligatorios en ambos casos.

En cambio, en la mayoría de las situaciones, que no corresponden a estas francas patologías, no son necesarios. La respuesta adaptada será más del orden de una modificación del entorno y de una psicoterapia. El aspecto reactivo de este síndrome del desinterés del adolescente parece, en efecto, tan manifiesto que se ha convertido en el signo de reconocimiento de lo que se ha llamado la «generación pasota». Como si la combinación de la morosidad clásica de la adolescencia con las consecuencias de la liberalización de las costumbres (menos prohibiciones pero más exigencias de éxito individual) hubieran desembocado en este cuadro de huelga de las motivaciones sin rebeldía real.

No hay ninguna oposición directa en este desinterés, sino una insatisfacción crónica y una suspensión de los deseos justamente en el momento en que las posibilidades de expresión se hacían más libres. A esa mayor libertad social corresponde a menudo, en las familias de estos jóvenes, una ausencia de límites y una relación de gran proximidad afectiva, especialmente entre madre e hijos. Pero proximidad afectiva no significa seguridad afectiva. No es raro que las relaciones estén marcadas, sobre todo en la primera infancia, por un cierto número de episodios depresivos vividos por la madre. Su hijo habrá tenido que encargarse de compensar, de manera más implícita que explícita, determinadas frustraciones, faltas o desequilibrios afectivos que concernían a la pareja parental. La madre le pide al niño realizar una imposible reparación. El resultado es una relación de captación afectiva del niño que no le aporta ninguna respuesta equilibrada a la realidad de sus necesidades, y que se instala en detrimento de una relación triangular –en la que el padre, pero también otros adultos o compañeros, deberían tener su sitio– que aportaría más flexibilidad y apertura.

En la adolescencia, el hijo ha retomado por su cuenta la ansiedad materna. Es dependiente de esta relación con su madre, que lo acapara y le causa satisfacción al mismo tiempo. Puede tanto más difícilmente privarse cuanto menos ha aprendido a contar con sus propios recursos y a apreciarlos. Cuanto más inseguro está de sus capacidades, más siente la necesidad de aproximarse como otras veces a una madre que le permite pensar que es indispensable. Pero, en esta edad, esa necesidad es insoportable. La insatisfacción anunciada y el rechazo de todo deseo se imponen como un compromiso posible pero no ideal. Este compromiso permite, en efecto, al adolescente, por su aparente ausencia de deseo y de motivación, tomar distancia de su madre y de los adultos en general, obligándoles a interesarse por él, por la inquietud que provoca.

En el fondo, al «Nada me interesa...» proclamado por el adolescente corresponde en realidad un «Hubiera deseado ser tan interesante para todo el mundo que no puedo más que estar decepcionado. Si nada me interesa, no soy yo quien corre el riesgo de decepcionar o estar decepcionado, son los demás y el mundo en general». Además, es sorprendente constatar cuántos de estos adolescentes pueden ser susceptibles y reactivos a las actitudes de los demás con respecto a ellos. Pero, durante mucho tiempo, reaccionarán más a las actitudes negativas que a las muestras de interés, percibidas como un engaño potencial.

La solución a esta apatía reside en la apertura, a veces forzada, a nuevas relaciones, preferentemente a relaciones extrafamiliares, para que el adolescente pueda salir del círculo de expectativas frustradas. Relaciones que le permitan, fuera del contexto afectivo habitual, entrar en contacto con unas ganas y deseos que percibirá como suyos y no como relaciones apasionadas ancladas en el pasado. Si se considera suficientemente pronto, el internado puede ser un recurso interesante, antes de que los repetidos fracasos escolares no hayan marginado demasiado al adolescente. El joven encuentra allí el sostén que necesita, un ambiente afectivo más ligero que en su casa y propicio al establecimiento de nuevos vínculos (cf. pregunta 43, p. 119).

20. Se siente culpable. ¿Se le pasará?

El exceso de culpabilidad ya no es el problema más habitual entre los adolescentes. Lo encontramos todavía, sin embargo, bajo la forma más tradicional: el adolescente se reprocha faltas y malos pensamientos, se acusa y se autoflagela sin fin, a propósito de lo que se ha hecho o, por el contrario, no se ha hecho. Si se presenta bajo una forma tan señalada, la culpabilidad puede ser considerada como un síntoma de depresión severa y/o de personalidad obsesiva, los dos pueden conjugarse. Evidentemente existen todas las variaciones posibles entre un estado «normal» y una personalidad aquejada de trastornos que necesitan ayuda. Poder sentirse culpable cuando se tienen razones para estarlo es deseable. Es importante que la confianza concedida por el entorno sea suficiente para que el adolescente ose hablar, sentirse perdonado y aliviado, incluso si es al precio de una reparación o de una sanción. Es la función de la confesión en la religión cristiana. La ausencia de culpabilidad es siempre preocupante y remite a trastornos de la personalidad que favorecen las conductas antisociales y delincuentes. Pero un efecto injustificado es siempre un síntoma.

La personalidad obsesiva se caracteriza por la duda permanente de haber obrado bien, de no haber cometido un error o una falta, y la necesidad de verificar lo que se ha hecho e intentar anular errores y faltas con manías y ritos conjuratorios: por ejemplo repetir una palabra un número de veces preciso o cumplir un gesto ritual (cruzar los dedos o tocar un objeto). Son los trastornos obsesivo compulsivos (TOC), de los cuales se habla mucho actualmente, como si se tratara de un descubrimiento reciente, aunque están censados y descritos desde hace más de cien años. Las modalidades son muy diversas pero el principio de los TOC es siempre el mismo: procurar controlar por una forma indirecta los males que se habrían dejado escapar por otro lado. Tras estos trastornos, no es difícil descubrir la permanencia del pensamiento mágico infantil y del sentimiento de omnipotencia, así como una fuerte ambivalencia de sentimientos ligados a la coexistencia de amor y de odio en personas que tienen una dificultad para aceptar los compromisos (cf. pregunta 97, p. 217).

Para el niño, pensar es actuar. Fácilmente nos imaginamos, pues, hasta qué punto los «malos pensamientos» que pueden atravesarle el espíritu y habitar en sus sueños son una fuente potencial de culpabilidad. Para anular los efectos peligrosos de estos pensamientos los niños multiplican lo que se llama las «formaciones reactivas», defensas que consisten en adoptar la actitud contraria de lo que se desea y reprime: la obsequiosidad opuesta a la rudeza; la meticulosidad, al desorden: la limpieza maníaca, a la suciedad; la culpabilidad, a la agresividad.

El adolescente sufre esta situación, pero no está dispuesto, por lo tanto, a renunciar al sentimiento de omnipotencia que está en la base de este tipo de funcionamiento. Sentirse culpable es un sentimiento penoso, pero que le permite pensar que sus deseos tienen un poder y unos efectos notables y que ocupa una posición importante con relación a la persona hacia la que se siente culpable.

Lo más característico de estos trastornos de la personalidad es que se alimentan a sí mismos, ya que el proceso de anulación y de control no tiene fin. Toda medida es seguida por una contramedida. Aquel que intente controlar su agresividad por su amabilidad, sus excusas y su obsequiosidad, verá resurgir su necesidad de oposición y control bajo su aparente sumisión al otro, que expresará por ejemplo oponiéndose pasivamente con su lentitud, con su retraso sistemático, con la interposición de cualquier obstáculo, a lo que se espera de él.

Como siempre, estos rasgos de carácter y estos comportamientos son exacerbados por la presencia de personas de las que el adolescente es muy dependiente afectivamente. Cierto, se atenúan con los demás, pero tienen tendencia a resurgir cuando se establecen vínculos más estrechos. La variación de sus manifestaciones no quiere decir que este comportamiento sea voluntario y que el interesado lo controle. No es verdaderamente dependiente de su voluntad, al menos de modo duradero, pero recibe la influencia de las mutaciones afectivas que vive el adolescente y del contexto del entorno.

En resumen, esto significa que no sirve de nada sobreproteger a los adolescentes, ni querer tranquilizarlos a cualquier precio. Hay que empujarlos a abrirse al exterior del medio habitual, como puede ser un terapeuta, y saber poner límites a su tendencia a sepultar a los demás con sus problemas. Si, no obstante, el sostén de una tercera persona no es suficiente, podemos entonces considerar la prescripción de un antidepresivo de acuerdo con el médico que lo trate. Un alejamiento del medio habitual, el internado, por ejemplo, puede igualmente tener efectos muy positivos.

Capítulo 3

La familia

21. ¿Cuál es la autoridad necesaria en casa?

La adolescencia es un periodo revelador de la naturaleza y de la cualidad de la autoridad parental. Aunque actualmente muy a menudo se echa a perder, continúa imponiéndose naturalmente en el niño, dada su inmadurez física, con la diferencia de estatura y de fuerza que ésta implica. No sucede lo mismo en el adolescente. La precocidad de la pubertad, el aumento medio de la talla de los adolescentes y la liberación de las costumbres confieren a la contestación normal de la adolescencia una amplitud inigualada, que somete a una dura prueba la autoridad parental.

Y por tanto, para la gran mayoría de los padres y de los adolescentes, la referencia a la autoridad parental no plantea apenas problema, incluso aunque no se exprese de la misma manera que en el pasado. El ejercicio de la autoridad ha sabido adaptarse a la evolución social, lo que se traduce en un buen índice de satisfacción de los adolescentes hacia sus padres y viceversa. Así, según una reciente encuesta del CEDOC, cinco de cada seis adolescentes se consideran satisfechos o muy satisfechos de sus padres.

Sin embargo, en el conjunto, siempre encontramos un 20% de adolescentes llamados «problemáticos», para los que se perfila una crisis de autoridad que se traducirá en manifestaciones «de falta de civismo» y, en algunos, por lo que parece ser una ausencia total de referencia a cualquier autoridad.

¿La autoridad es necesaria? ¿Cómo gestionarla? ¿Cuál es su lugar en una sociedad con costumbres más libres y en un mundo en plena evolución?

Algunos principios pueden servir de guía. No escapamos a la autoridad, en el sentido de que existe una autoridad de hecho ligada a la dependencia física y psicológica del niño con relación a sus padres. Lo quieran o no, tienen un poder total sobre él, el de darle el lenguaje y las palabras que utilizará para cualificar sus emociones, sus sentimientos, sus resentimientos, para nombrar y así representarse los lazos que anuda con ellos. Los padres dicen y organizan lo permitido y lo prohibido y sirven de modelo al niño. La necesidad de su amor y de su atención crea en el niño una dependencia afectiva inevitable y deseable, que coloca a los padres en posición de autoridad.

En cualquier edad, y al menos hasta el final de la adolescencia, la diferencia de generación, por lo que hace, dice y muestra el adulto, tiene repercusiones sobre el joven. La diferencia de edad sitúa al adulto en un papel educador que contribuye a organizar la personalidad en formación del niño y del adolescente. Ningún adulto puede escapar a este impacto educativo, esta relación de autoridad se impone por sí misma. No queriendo ejercer ninguna autoridad, el adulto no dará más libertad al niño. Le impondrá de hecho una elección que consiste en abandonarlo a su suerte.

Si los adultos no pueden escapar a su papel educador, se imponen dos cuestiones que exigen una respuesta: cuál es el fin de la educación y qué lugar ocupa la relación de autoridad.

En primer lugar, el objetivo de la educación es permitir al niño llegar a ser autónomo y no depender más de la autoridad del adulto. Se ha podido pensar que esta autonomía se adquiriría más fácilmente dejando al niño muy libre y poniéndole los menos límites posibles. El resultado es poco concluyente. No ejercer la autoridad supone abandonar al niño a su suerte, a la tiranía de sus necesidades y de sus contradicciones, sin referencias exteriores para regularlas, proyectarlas en el futuro y dotarlas de un sentido. Lo esencial de la libertad de un individuo depende de su capacidad de esperar. Ahora bien, la espera es un aprendizaje que resulta a la vez de las capacidades propias del niño y de la asunción progresiva de los límites que los adultos le imponen para protegerlo, pero también para insertarlo en el grupo social. Aceptando estos límites y prohibiciones, el niño se asegura a su vez de su valía por el amor y la estima que los adultos sienten por él. La capacidad de espera descansa, no sobre el rechazo de la satisfacción inmediata, sino sobre la posibilidad de diferirla en vistas a un bien mayor: la aprobación de los adultos en un primer momento, después la toma de conciencia de sus recursos propios, de sus medios de control. El niño se percibe así progresivamente como más libre, tanto en relación a sus necesidades propias como en relación a las reacciones del entorno.

Si el adulto es demasiado laxo, el niño queda prisionero de sus contradicciones internas, sin otra valoración estructurante que la búsqueda repetida de satisfacciones pasajeras a las cuales corre el riesgo de quedar condenado.

El hecho de que el intercambio entre el niño y sus padres funcione de manera satisfactoria descansa sobre una condición esencial: la confianza. Si el niño confía profundamente en el adulto acepta los sacrificios inmediatos que se le piden sin demasiada frustración y con un beneficio secundario importante: el de ser amable a los ojos de una persona, también amable y válida para él, que le autoriza la adquisición del sentimiento de su propio valor. Este sentimiento le permitirá a continuación oponerse si llega el caso y diferenciarse, sin por eso temer perder el amor del padre.

Ejercer una autoridad no consiste en someter al niño a la voluntad del adulto. Es más bien saber poner límites a las satisfacciones inmediatas, no en función de los únicos deseos del adulto, sino en nombre de esa referencia tercera que son las condiciones de un desarrollo óptimo del niño.

Al contrario del autoritarismo, el fin de la autoridad no es coaccionar al niño, sino ayudarlo a expandirse y a encontrar su lugar en los límites trasmitidos por los adultos, en una relación de confianza que le haga posible adoptarlos. Esa confianza permite al adolescente poner a prueba esos límites sin tener miedo a perder su valor a los ojos de su entorno.

Ahora bien, la confianza como aprendizaje de los límites y de la capacidad de espera no comienza en la adolescencia. En esto la adolescencia es reveladora de lo que se construye en la infancia (cf. pregunta 79, p. 186).

22. Cuando los padres se sienten culpables... ¿Cómo superarlo?

¿Qué padre no se siente culpable cuando su hijo va mal? Muy pocos de hecho, aunque digan o piensen otra cosa. El hijo es el fruto de los padres y sus dificultades son siempre sentidas como suyas. ¿Qué han hecho o no han hecho para que esto sea así?

Es difícil no sentirse culpable y aún más renunciar a la culpa, lo que podría llevar a reconocer su impotencia o a confesar su escaso poder sobre el niño. En ese caso, los padres oscilan entre una culpabilidad más o menos aguda y un sentimiento de impotencia.

Lo importante es no dejarse atrapar en ese movimiento depresivo. Demasiada culpabilidad daría la impresión al adolescente de que todo depende de sus padres y de que él tiene escaso poder sobre su evolución. Poner por delante su impotencia sería como decirle que renuncian a su influencia sobre él y que rechazan el conflicto. Ahora bien, lo importante, en tanto que padres, es ante todo que su hijo les concierne. Es decir, mostrarle que es mirado, visto y oído sin buscar necesariamente querer cambiarlo, pero sin renunciar tampoco a confrontarlo con lo que ha sido, con lo que puede ser y con los proyectos que puede tener. Los padres son los testigos y los garantes de la continuidad de su hijo, tanto del pasado y del futuro como del presente.

Los padres deben asegurar esta continuidad cualesquiera que sean sus errores e incluso sus «faltas» pasadas. Éstas no justifican jamás que el adolescente las sufra dos veces, maltratándose de una u otra manera y malgastando sus posibilidades. Pueden preguntarse sobre lo que han hecho (su pasado, su historia), cuestionarse, sin que por eso se encierren en la culpabilidad ni renuncien a sus convicciones, y aún menos a continuar defendiendo lo que piensan que es preferible para su hijo.

El mejor servicio que los padres pueden darle a un adolescente es sobrevivir, decía el psicoanalista y pediatra Winnicott. Con esto señalaba la importancia de esa presencia continua en segundo plano que, para existir, no necesariamente debe dominar el curso de los acontecimientos. Presencia que subsiste incluso si es objeto de ataques o de aparente indiferencia. Esta continuidad, esta resistencia, esta capacidad de acogida, funcionan de forma especular, lo que le permite al adolescente construirse y sentirse también inscrito en una continuidad, capaz de resistencia y de ser acogedor consigo mismo y con sus contradicciones. Encontramos en estas características parentales en la adolescencia las que en la primera infancia habían permitido al bebé percibirse como una persona inscrita en algo duradero, resistente a los golpes, rupturas y otros traumatismos de la vida.

23. Está confrontado a conflictos familiares. ¿Qué hacer?

Los conflictos familiares son inevitables. No es deseable que los padres mantengan la ilusión de una pareja parental sin falla y de un mundo sin conflicto. Esto no prepararía al adolescente para la realidad de la vida conyugal y familiar ni para la de la vida en general. Todo reposa sobre la manera en la que los padres gestionan estos conflictos y sobre el lugar que conceden al adolescente.

¿Son capaces de contener los conflictos o envenenan el conjunto del clima familiar? ¿Se desarrollan en el respeto de cada uno o en la degradación recíproca? ¿Los hijos son incitados a tomar parte? ¿Es posible o no hablar con calma después? Todas estas respuestas condicionan los efectos de los conflictos sobre el adolescente.

Lo que más sorprende en las situaciones conflictivas importantes es hasta qué punto uno de los padres, o los dos, tiene dificultades para colocarse en el lugar del adolescente e intentar comprender lo que puede sentir. Demasiado implicado en el conflicto, el padre es incapaz de tomar la distancia necesaria, de hacer el esfuerzo de diferenciar sus sentimientos de los del adolescente. La intensidad de sus emociones le sirve de justificación, de argumento y de buena conciencia y le es difícil admitir que se pueda reaccionar de forma diferente. Esa ausencia de distancia es lo más tóxico, ya que no deja ningún lugar al otro. La diferencia es inmediatamente percibida como crítica y hostil.

Existen muchas situaciones en las que el adolescente corre el riesgo de ser absorbido por la situación conflictiva y desposeído de su libre arbitrio, de sus capacidades de juicio y de crítica:

◆ El adolescente espectador. Se encuentra en una situación pasiva, de mirón, en la que asiste a la gran exposición de reproches que se hacen los padres. Lo más traumatizante es su ausencia de pudor, «exponen» la intimidad de su vida privada como si hubieran desaparecido todas las barreras, se injurian, incluso se golpean delante del adolescente. Es una violencia en su contra en la medida en que los padres actúan como si no estuviera allí. Se ignoran sus necesidades afectivas de sentirse seguro y, sobre todo, de experimentar un mínimo de estima y de admiración por ellos. Además, muy a menudo, la presencia del adolescente excita al padre, que intentará buscar una complicidad y hacer del adolescente un testigo, incluso un aliado.

◆ El adolescente cómplice. Es requerido directamente por el padre o los padres para tomar partido por uno contra el otro o, más sutilmente, para convertirse en el confidente de uno e inducirlo a compartir sus sufrimientos, y después a aliarse con él contra el otro. Esta complicidad puede conducirlo a ser el portavoz de uno de los padres, sea colocándose directamente de su lado, sea funcionando mal él mismo. En este último caso, pone en un aprieto y hace fracasar más o menos al padre dominante de la pareja, y se alía con el que sufre más.

◆▶ El adolescente chivo expiatorio. Reúne a sus padres, los reconcilia o, simplemente, los aproxima, a menudo porque sus dificultades y su sufrimiento son un medio de unir a la familia en torno al que va mal. A veces incluso, los padres, más allá de sus divergencias, se ponen de acuerdo para considerar que el comportamiento del adolescente es responsable del sufrimiento de la familia y de las tensiones entre ellos…

La lista no está evidentemente cerrada, pero, más allá de la diversidad de las situaciones, encontramos una consecuencia común: el adolescente es siempre la víctima. Por supuesto, sus reacciones difieren en función de las situaciones, de los encuentros que pueda hacer, de los apoyos que pueda encontrar, de la calidad de los vínculos durante su infancia y de su temperamento. Felizmente, algunos desarrollan en estas dificultades una capacidad de reaccionar, una experiencia y una toma de conciencia que les serán útiles. Pero, sobre todo, esto deja huellas que podrán resurgir, especialmente en su pareja futura y en la relación con sus hijos. Sobre todo, un cierto número de ellos sufrirán de una manera que dificulta su desarrollo y los conduce a adoptar conductas de fracaso, a deprimirse o a rebelarse.

En efecto, en todas estas situaciones el adolescente está invadido por dificultades que no son las suyas pero que sus padres hacen suyas. No sabrá diferenciar lo que, en sus problemas, proviene de él o de sus padres. Sin saberlo, es cautivo de alguna manera de fuerzas que lo alienan al pasado, a rencores, a venganzas o a necesidades de reparación, y que podrán influir sobre su propio futuro.

Pero todos los conflictos no son explícitos, muchos permanecen en el orden de lo no dicho. Coexisten parejas hasta el final de sus días odiándose secretamente y con actitudes y principios educativos opuestos o muy divergentes. Es ilusorio pensar que el niño no percibe nada.

Puede evitar plantearse la cuestión demasiado claramente, pero será portador de este conflicto latente, lo que no facilitará su trabajo de integración de sus propias contradicciones y contribuirá a dramatizar sus identificaciones, es decir, la elección de sus modelos de pensamiento, de valores y de opciones de vida. Las diferencias entre el padre y la madre no serán una posibilidad, un factor de apertura a combinaciones variadas y propias del niño, sino una fuente de división y de desgarramientos internos. El niño reproducirá interiormente el combate entre sus padres, todo lo que le aproximaría a uno lo pondría en conflicto con el otro.

Los desgarramientos se manifiestan generalmente en la adolescencia, cuando la necesidad de tomar sus distancias y de afirmar su identidad propia se hacen sentir. Las divisiones del adolescente le impiden llegar a ser autónomo y le hacen sentir su dependencia con relación a sus padres, reforzando de este modo el conflicto. La respuesta no se hace esperar: los trastornos de comportamiento, las conductas de fracaso y de oposición traducen la imposibilidad tanto de la separación como de la satisfacción. El precio que ha de pagar es siempre demasiado elevado…

24. Sus padres acaban de separarse… ¿Cuáles van a ser las consecuencias?

La separación de los padres se ha trivializado considerablemente desde hace algunas décadas, pero no deja de ser un acontecimiento doloroso, incluso traumático para los hijos. Afecta a la familia en su núcleo y en su esencia misma: la continuidad del vínculo. Confronta a cada uno a una de las angustias humanas más profundas: el miedo a la separación. Desgarra a los niños obligándoles a preguntarse: «¿A quién prefieres, a papá o a mamá?». Pero también: «¿Por qué no soy suficientemente importante para que papá y mamá elijan permanecer juntos y prefieran no separarse? ¿Por quién? ¿Quién es más importante que yo, que soy su hijo?».

Los padres lo saben bien, y ninguna separación se hace sin culpabilidad. Seguramente por eso se inquietan más por sus hijos que los otros padres y consultan más. Se ha deducido que esto favorecía el descubrimiento de las dificultades y, erróneamente, se ha creído que estos niños están, a menudo, más perturbados que los de padres que viven juntos.

Sea lo que sea, la separación de los padres representa un factor de riesgo. En efecto, confronta, a los adolescentes más vulnerables, los más dependientes afectivamente de sus padres, a una realidad que entrará en resonancia con los conflictos interiores y los reforzará.

Las condiciones de separación y el clima afectivo entre los padres son parámetros esenciales en cuanto a las consecuencias. Pero, sin embargo, no hay que creer, aunque todo suceda de la mejor manera, incluso si se trata de un consenso, que el acontecimiento no tendrá consecuencias. Si la conservación de relaciones de estima y de respeto entre los padres es capital, un acuerdo demasiado manifiesto puede inquietar al adolescente en más de un aspecto. Puede crearle el sentimiento de ser el único en sufrir, que este sufrimiento está injustificado y llevarle a sentirse incomprendido y abandonado. Puede también preguntarse por la naturaleza del vínculo que unía a sus padres, por la realidad del amor entre ellos, y en el fondo, tener el sentimiento de que finalmente los vínculos son facticios, hipócritas y que, si esto es así entre sus padres, por qué no sería lo mismo entre ellos y él…

Con otras palabras, si los padres deben velar para que las relaciones sean dignas y respetuosas, con la preocupación de preservar a su hijo, esto no es suficiente. Nunca deben olvidar que su hijo es una persona distinta y que, en consecuencia, no vive necesariamente los acontecimientos de la misma manera que ellos y no experimenta las mismas emociones.

Deben, pues, estar a la escucha de su hijo, aceptar sus sentimientos y su punto de vista. Es normal que el adolescente reaccione, que pueda estar triste e infeliz, que no comprenda a sus padres. Por tanto, no hay que dramatizar estas reacciones y, sobre todo, hay que evitar que los padres se crean obligados a cambiar su propio punto de vista.

Acoger al adolescente es aceptar su diferencia sin intentar borrarla, esencialmente renunciando a sus propias ideas…

25. ¿Cuál es el lugar del padre?

La función clásica del padre, enunciada por Freud y la teoría psicoanalítica, es proteger al niño del incesto, interponiéndose entre él y su madre y prohibiéndosela. Además, el padre tiene una función de protección por el hecho de que, mediante esta renuncia a la madre, el niño se beneficia de su benevolencia, se alía con él y se siente protegido.

Más allá de esta función de prohibición, y probablemente también de manera tan importante, el padre interviene en la relación del niño con la madre por el hecho de que vectoriza el deseo de la madre hacia él, indicando así al niño una vía que lo aparta de la confrontación única con su madre. El efecto tercero de apertura de la función paterna no está así únicamente ligado a lo prohibido, sino también a la movilización de un deseo sobre una tercera persona, objeto del deseo de la madre.

Nos olvidamos a menudo que no hay padre sin que haya una madre y que es ésta, tanto como el niño, quien hace al padre, y viceversa. Más allá de lo que cada uno es, la manera como el otro lo inviste es lo que cuenta. Esta investidura recíproca es tan importante como su papel específico. Así, sean cuales sean sus cualidades, si el padre está descalificado por la madre, eso hace estragos. La descalificación, más que la crítica o la oposición, es la degradación sistemática del valor y la importancia del otro, incluso hasta presentarlo como una fuente de peligro. En tal caso, los niños están colocados en un dilema infernal que los obliga a cuestionarse de nuevo la confianza en uno o en otro.

Esta descalificación llega a veces hasta la acusación de abuso sexual o de perversidad del padre, y puede provocar una crisis de confianza tanto más considerable cuanto que esto no es siempre cierto.

El niño constata que el miembro de la familia con el que tiene una relación inicial privilegiada, generalmente la madre, está en relación con otras personas ante las cuales lo introduce para entablar relaciones diferentes. El cónyuge tiene un lugar esencial en este dispositivo y esencialmente el padre, cogenitor y portador de una diferencia de sexo, fundamento esencial del acceso a la diferencia. La ausencia del padre no condena al niño a la indiferenciación, pero le complica la tarea, al chico en sus posibilidades de identificación y a la chica en sus relaciones afectivas. Otros soportes pueden servir en tal caso de relevo.

Cuando funciona en el respeto de las diferencias, la pareja parental abre al niño a relaciones afectivas diferenciadas y a modelos de identificación que se apoyan sobre estos dos pilares de la realidad que son la diferencia de sexos y la de generaciones. Sin embargo, esa apertura a la diferencia se debilita intensamente cuando la diferencia se reduce a una jerarquía en la que uno de los padres se define esencialmente por su estatuto de inferioridad o de superioridad respecto al otro.

En fin, el padre interviene en el plano de la constitución de los ideales del niño en la medida en que es portador de la apertura a los valores sociales de los que es uno de los enlaces privilegiados.

El estudio de la función paterna ha dado lugar a dos tipos de tendencias. La primera es la de una abstracción cada vez más intensa, hasta el punto de reducir la función paterna a un juego de significantes, esencialmente alrededor del nombre del padre, que sería o no transmitido por la madre. Esta tendencia le confiere un papel de tipo trascendental que lleva por un lado a referirse a entidades tales como la ley, de la que el padre sería el vector, y del otro a alejarse de una realidad que no corrobora estas especulaciones. Del lado opuesto, la segunda tendencia reside en el riesgo de transformar al padre en una segunda madre, contribuyendo así a la constitución de un bloque «papá-mamá» indiferenciado. Esta tendencia es tanto más perniciosa en cuanto que resulta de un conflicto de poder entre la madre y el padre y no de un entendimiento respetuoso de cada uno respecto a compartir las tareas. Como siempre en la educación, lo que es una ventaja de un lado representa un posible riesgo del otro. La mayor proximidad del padre con sus hijos tiene muchas ventajas, pero puede tener un inconveniente: la de ser, a veces, invasor para ellos. Incluso si la madre sale del hogar para trabajar, es el padre quien tradicionalmente simboliza al que parte para hacer frente al mundo y facilita de este modo la apertura al exterior. Dando el sentimiento de centrar sus intereses demasiado exclusivamente en la familia, no ofrece el mínimo de idealización sobre lo que sucede en el exterior, de lo que el niño se siente excluido, idealización necesaria para un adolescente que tenga ganas de salir de su familia. Impregnados como la madre de amabilidad, los padres transmiten, a menudo a pesar suyo, una visión preocupante del mundo. Asistimos a veces hoy en día a una especie de «agarradero» familiar generalizado, ¡qué bien que estamos, padres e hijos, todos en una gran cama frente a la televisión!

De manera más práctica, es interesante volver sobre los aspectos concretos del desarrollo del niño y especialmente sobre una de las necesidades esenciales de este desarrollo, la función diferenciadora o función tercera. Ésta se organiza de manera privilegiada alrededor del lugar del padre, pero también encuentra soportes y relevos más allá del lugar del padre y esencialmente en los soportes ofrecidos por las mediaciones culturales.

La realización de investiduras diferenciadas permite la constitución de límites y aparta al niño de una relación exclusiva que se expresa bajo la forma de todo o nada. Se trata de un proceso muy progresivo; las primicias de esta diferenciación aparecen muy pronto, probablemente en los últimos meses de la vida fetal, por el descubrimiento de sonidos de voces diferentes.

A continuación, esta percepción se apoyará sobre la repartición de papeles y de actitudes. Terminará en la emergencia de la configuración edípica, es decir, en la percepción por el niño de la diferencia de sexos y de generaciones organizada por y alrededor de la pareja parental. El hecho de que ésta vehicule estas diferencias fundamentales permite al niño no solamente situarse en una genealogía, sino también insertar estas diferencias en una relación de complementariedad. El vínculo de la pareja, si está hecho de respeto mutuo y de amor, ilustra que la diferencia es portadora de una complementariedad positiva. Introduce entonces al niño en la libertad, en la posibilidad de soñarse también él diferente de sus padres y conservar su amor y su interés.

Desde ese momento, ya no se trata para el niño de ser como sus padres, más o menos confundido con ellos e indiferenciado, o por el contrario diferente y rechazado. Le es posible concebirse como diferente y parecido sin ser por tanto lo mismo. Esta función tercera será inmediatamente retomada por otros mediadores: abuelos, tíos o tías y agentes del mundo social que lo rodea, en primer rango, con los docentes y todos los que tienen una función educativa.

Del lado opuesto, la negación o el rechazo de la diferencia en el seno de la pareja significa para el niño que sólo se puede ser parecido y, al límite, indiferenciado, o rechazado. Esta intolerancia a la diferencia es portadora de amenazas para su desarrollo: crecer es confundirse con ese objeto de amor totalitario o correr el riesgo de destruirlo o de ser destruido.

El niño se constituye así ampliamente en función de las actitudes de los demás para con él, y de la imagen que éstos le reenvían. Este juego de intercambios es una de las condiciones de la empatía, de esa capacidad para identificarse con el otro y para comprenderlo desde el interior. También es una condición esencial de la posibilidad de ternura para con el otro y una base indispensable del acceso al sistema de valores y al sentimiento moral.

El niño accederá progresivamente a la conciencia de su pertenencia a un grupo de valores comunes porque habrá percibido e integrado estos límites sucesivos e identificado los suyos propios, igualmente reconocidos y respetados por los demás. Estos valores comunes serán a su vez como una mediación suplementaria entre él y los demás, y asegurarán la preservación de sus límites, de su integridad y de su identidad. Esa progresiva integración de valores que trascienden al sujeto es muy diferente de la noción de una ley que se impondría arbitrariamente desde el exterior y condicionaría el acceso a un orden simbólico.

26. El caso de las madres solteras... ¿La vida es más difícil para un adolescente?

La situación monoparental está considerada «de riesgo» para el niño. Estadísticamente estos niños parecen, en efecto, presentar más dificultades de todo orden y trastornos psíquicos. Sin embargo, más riesgo no significa riesgo seguro, y no hay que olvidar que la mayoría de los niños educados en estas condiciones no encontrarán ninguna dificultad particular en su desarrollo. Es posible, pues, compensar los factores de riesgo que representa, para un niño, el hecho de haber sido educado por una madre soltera.

Que una madre eduque sola a su hijo no explica que los eventuales trastornos de éste sean imputables a la situación de monoparentalidad. Muchos otros factores pueden ser incriminados. Es el caso, por ejemplo, de la presencia de trastornos de la personalidad y del comportamiento en la madre, de una situación social y económica difícil, de un aislamiento o de ruptura con la familia de la madre. Las madres solteras tienen a menudo personalidades vulnerables, y esta vulnerabilidad es en sí misma un factor de riesgo para el niño.

Una vez más la adolescencia será el momento privilegiado de revelación de estas dificultades, especialmente a través del mano a mano madre/adolescente, que constituye el factor de riesgo esencial de conflicto.

El niño, para desarrollarse, tiene necesidad de relaciones privilegiadas a la vez que se abre a un tercero y a la diferencia. El padre representa ese tercero por excelencia, ya que está presente y es necesario desde la concepción. Su ausencia hace la apertura hacia el exterior más difícil. Expone al niño a una dependencia afectiva exagerada y a la necesidad de diferenciarse de la madre con la creación de obstáculos en la relación e, interiormente, por establecer una relación fundada a la vez en aferrarse a la madre y en la insatisfacción. Ésta se manifiesta en dos modos de expresión esenciales: caprichos y conductas de oposición por un lado, llantos y preocupaciones corporales por el otro. Cuanto mayor sea la necesidad del adolescente de aferrarse a la presencia materna para encontrar una seguridad y una valorización que no encuentra en él mismo, más intentará escapar a esta atracción materna, resentida como un dominio, con la multiplicación de obstáculos a un acercamiento entre ella y él...

Pero ausencia o presencia de un tercero no se reduce a una simple ausencia o presencia física. La madre, por sus intereses y sus aficiones, designa al niño el tercero que ella inviste, aquél que le importa y que puede llegar a ser para el niño más importante que el padre real. El padre es padre para el niño por su presencia y por su interés para con él, pero también por la atención que le dirige el otro miembro de la pareja. La importancia de esta investidura materna deja de este modo abierta ampliamente la posibilidad de sustitutos parentales o de personas que pueden servir de sostén a identificaciones diferentes de las de la madre, pero compatibles con ellas (cf. pregunta 25, p. 86).

27. He adoptado a mi hijo. ¿Sufrirá en la adolescencia?

¿La adopción es un factor de riesgo? Es la inquietud que existe en una gran mayoría de padres adoptivos. ¿Hicieron bien? ¿Era una buena elección? La cuestión se plantea con mayor agudeza cuando la adopción es el resultado de una doble elección voluntaria: la de tener un hijo y la de elegirlo, al menos de poder rechazarlo si no les conviene.

El deseo de los padres, y con él su ambivalencia, parece así mucho más comprometido que en el caso de un hijo natural. Un niño querido e incluso elegido, pero un niño nacido de otra pareja, de cuya herencia genética es portador. Inquietudes profundas, frecuentemente inconscientes, son susceptibles de ser reactivadas: «¿Teníamos derecho a transgredir "las leyes de la naturaleza" y a tener un niño costase lo que costase, cuando la "naturaleza" no lo permitía? ¿No seremos castigados por la realización de este deseo?

¿Este niño no es un niño robado a otra pareja? ¿Un niño usurpado? ¿No es una transgresión cuyo precio tendremos que pagar con dificultades con este niño?».

El deseo de niño es un deseo complejo que tiene sus raíces en la primera infancia. Se construye en relación, pero también en reacción, con el contexto familiar, en particular las rivalidades con los hermanos, los nacimientos sucesivos o las nostalgias maternales de no haber tenido otros niños, o de haber perdido un niño... En pocas palabras, este deseo se construye a partir de deseos cruzados y a menudo intensos. Este deseo puede mantenerse intacto en el adulto, pero, como todo deseo que ha quedado muy ligado a la infancia y muy vivo en la edad adulta, es susceptible de engendrar culpabilidades intensas, como si su realización respondiera a una transgresión de prohibiciones de la infancia y mereciera un castigo.

Un ejemplo notable de la complejidad del deseo infantil y del impacto de la adopción es el caso de estas jóvenes que, cuando no pueden tener un niño, adoptan uno y luego se encuentran encintas en el año que sigue a la adopción. Esta situación es bastante frecuente como para haber sido objeto de publicaciones. Parecería que el hecho de haberse permitido la adopción y la presencia concreta de un niño, con todo lo que esto moviliza emocionalmente, pueda levantar las inhibiciones de los circuitos neurohormonales que regulan los procesos de la ovulación y de la fecundación.

Otra dificultad que se plantea con un niño adoptado: ¿cómo hacer que la actitud educativa sea lo más natural posible y evitar que sea objeto de proyecciones excesivas por parte de los padres?

Entendemos por proyección el hecho de prestar a los otros pensamientos, sentimientos, intenciones que no son más que la expresión de creencias de quien las atribuye a los demás. Estas creencias se imponen a la persona que las vive por razones afectivas, en general desconocidas por ella misma. Se apoyan sobre elementos de la realidad que son seleccionados, amplificados, incluso separados de su contexto por la fuerza de convicción de quien las proyecta. Por eso dejan poco margen para la discusión y encierran a quien es objeto de la proyección en un papel que le es difícil abandonar.

Esta situación es particularmente alienante para un niño y puede ser fuente de patologías y trastornos diversos. En efecto, el niño la resiente como una violencia de parte de sus padres, que parecen conocer mejor que él sus propias intenciones. A esta violencia responderá inmediatamente la del adolescente que, para existir, estará obligado a comportarse según sus proyecciones.

Este fenómeno de la proyección a propósito del niño se apoya en elementos de la vida cotidiana de orden muy diverso:

◆ El peso de una herencia desconocida pero a menudo considerada *a priori* como culpable y negativa. Los elementos negativos como «los malos instintos» pueden ser proyectados mucho más fácilmente.

◆ Los «traumatismos» posibles durante el periodo, a veces largo, que precede a la adopción.

◆ La cuestión de los verdaderos padres: «No somos sus verdaderos padres, no puede amarnos como si lo fuéramos…».

Hoy en día, la mayoría de los padres siguen el criterio de los especialistas, que recomiendan todos decir lo más pronto posible la verdad sobre su adopción. Pero esto no cierra sin embargo la cuestión. La vemos resurgir esencialmente en la adolescencia por los interrogantes que conciernen a los padres biológicos y el deseo de encontrarlos, o al menos de conocerlos. Deseo legítimo pero que, también, se sirve de una realidad innegable para esconder interrogantes más fundamentales y más difíciles de formular: «¿Mis padres me consideran como su verdadero hijo?» y «¿Me hubieran elegido y me elegirían todavía si hubieran sabido lo que he llegado a ser?».

Los adultos prefieren pensar que la cuestión esencial es verdaderamente la que los adolescentes plantean en cuanto a sus padres biológicos. Nos olvidamos de que los verdaderos padres son los que educan al niño y de los que él está impregnado. Les debe una gran parte de sus adquisiciones, es decir, lo esencial de su personalidad. Con ellos se han anudado los sentimientos fuertes, las identificaciones y los conflictos. Son los coautores de su historia. Esa necesidad de evitación y de desplazamiento de los conflictos se encuentra, por ejemplo, en la necesidad que tienen ciertos niños o adolescentes de imaginar que tienen otros padres distintos a los suyos. Es lo que se llama «la novela familiar», fenómeno relativamente frecuente hacia la edad de los 10 años y que desaparece unos años después.

¿Qué consejos podemos dar a los padres adoptivos? El primero, que condiciona los otros, es asumir su elección y afirmarse como los únicos padres, en relación con ellos mismos, con su entorno y sobre todo con su hijo, sin negar por eso la realidad anterior. Los padres biológicos no son más parientes que lo son los ancestros biológicos de cada uno… El segundo consejo es estar muy atentos a los riesgos de proyección de sus aprehensiones sobre su hijo. Las certezas y las afirmaciones perentorias sobre el comportamiento del niño o del adolescente no son más que una manera de intentar cercar este desconocido que es siempre el otro, incluido el niño, adoptado o no. Hay que dejar sitio al descubrimiento del otro, con su complejidad y sus contradicciones, más que intentar conocer todo o imaginar que el encuentro con la realidad de los padres progenitores eximiría de este trabajo de descubrimiento.

Finalmente, ¿los niños adoptados son más susceptibles que los otros de presentar trastornos de comportamiento y enfermedades psiquiátricas en la adolescencia? Estudios recientes, especialmente en los Países Bajos, han mostrado que, en relación a un grupo testigo de adolescentes, estos trastornos eran de un 20 a un 25% más elevado en los niños adoptados. Por lo tanto, el riesgo es más importante, pero continúa siendo moderado.

Las condiciones de vida en el curso del periodo que precede a la adopción son un factor de riesgo: carencias afectivas importantes, multiplicidad de lugares donde son colocados, depresión y sobre todo abusos sexuales. No obstante, la calidad del marco de vida después de la adopción puede compensar el efecto de estas difíciles condiciones anteriores.

28. No nos quiere dejar. ¿Hay que inquietarse por eso?

Los jóvenes viven, cada vez más, mucho tiempo en el domicilio familiar. Según el INSEE, el 50% de las chicas y el 60% de los chicos entre 20 y 24 años vive todavía con sus padres, y el 14% de jóvenes se reinstala en su familia en el transcurso de los cinco años siguientes a su partida de la casa familiar. Evidentemente, no faltan argumentos para justificar esta elección: las razones económicas, el alargamiento de la duración de los estudios, la posibilidad de vivir una situación casi marital en la familia... Pero, más allá de estas realidades, percibimos que nos encontramos ante un fenómeno psicológico que cobra poco a poco una dimensión sociológica.

En efecto, cada vez más los jóvenes no tienen motivaciones suficientes para dejar a sus padres en una edad en la que era habitual hacerlo, hace menos de quince años. ¿Qué les empuja a quedarse? ¿Los padres son cómplices? ¿No tienen nada que decir?

La mayoría de los casos no plantea ningún problema y la separación se hará espontáneamente de manera tardía pero satisfactoriamente, o necesitará simplemente que los padres pongan límites. Pero un cierto número de situaciones serán difíciles porque, manifiestamente, el adolescente no termina de irse, se instala en una situación regresiva de dependencia mutua con sus padres y, sobre todo, se hunde en conductas de fracaso y autodestrucción, a veces con accesos de violencia hacia sus padres...

La dificultad de los padres y de los adolescentes para separarse no es un signo de amor particularmente intenso, como desearían creer ciertos padres. Es más bien la expresión de una relación marcada por la inquietud, la inseguridad y la falta de confianza. Se trata evidentemente de una falta de confianza del adolescente en sí mismo, pero también de una falta de confianza hacia los padres, como si la separación apelara a la pérdida y a la destrucción, lo que finalmente se manifestará un buen día cuando el aferrarse los unos a los otros perdure exageradamente. En efecto, la dependencia afectiva, y el enganche compensador a los padres que genera, termina inevitablemente por suscitar en el adolescente una necesidad de diferenciarse y de tomar distancia oponiéndose e instalándose en una relación dominada por la insatisfacción.

En ese caso los padres deben poner un límite e introducir un tercero para facilitar el diálogo entre ellos y su hijo. La apertura es imperativa para volver a dar al adolescente un margen de maniobra personal fuera de la mirada parental. La firmeza, incluso lo que puede ser vivido como violencia, se impone en el establecimiento de límites para servir de contrapeso a la violencia destructiva de la perpetuación de ese mortífero vaso cerrado.

Sin embargo, la experiencia muestra que este límite es siempre muy difícil de poner para los padres, que encuentran siempre buenas razones para rechazar un enfrentamiento sentido como peligroso y destructor, aunque fuese salvador. Prefieren pensar que las dificultades actuales son coyunturales y debidas a factores exteriores. Temen que oponerse a su hijo sea el signo de un fracaso en su educación. Para ser buenos padres, están dispuestos a aceptarlo todo. Ahora bien, si el adolescente se hunde en la oposición y el sabotaje de sus potencialidades, no es necesariamente porque ellos son malos padres, sino más bien porque es demasiado dependiente de ellos y no consigue dejarlos. No puede soportar la soledad, pero no se siente él mismo cuando ellos están cerca. El compromiso que se instala entonces es el de permanecer cerca de ellos y pregonar su diferencia y una pseudoautonomía por su insatisfacción, sus lamentos y su oposición. En realidad, tendría necesidad de tejer vínculos nuevos y de realizar sus experiencias a distancia de los padres. Como no consigue hacerlo solo, los padres deben ayudarle aprovechando el carácter insatisfactorio de la situación para exigir que se encuentre una solución a distancia de ellos. Eso permitirá que, en un segundo momento, cuando el adolescente haya podido hacer la prueba de sus propios recursos, las relaciones vuelvan a ser positivas.

29. ¿Debemos decirle la verdad?

En nuestra época de búsqueda de trasparencia y de caza de los secretos familiares, considerados como factores de trastorno, la verdad está de moda. ¿Pero, qué verdad? ¿Y para quién? Es más fácil proclamar que hay que decir siempre la verdad que ponerlo en práctica. ¿La verdad se opone a la mentira? ¿Es faltar a la verdad hacer uso de lo no dicho y de la omisión?

Es preferible decir siempre la verdad a los niños. Muchos padres subestiman su capacidad de comprender, en particular cuando sorprenden conversaciones entre adultos. Piensan que pueden inventar no importa qué historia para esconder lo que los niños podrían haber entendido, sin darse cuenta de que, más allá de las palabras, los niños, y con más razón los adolescentes, son antes que nada sensibles a la atmósfera de la conversación, a las entonaciones, a la mímica. Descubren rápidamente si se trata de conversaciones destinadas exclusivamente a los adultos y, la mayoría de las veces, que conciernen a otros adultos. Esta irrupción en el mundo privado de los mayores es lo que resulta excitante, como cada vez que los niños penetran de manera más o menos lícita en el territorio de los adultos: habitaciones de los padres, armarios o escritorios que les están reservados, bibliotecas…

Probablemente sea esto lo más nocivo para los niños y los adolescentes: los secretillos de los adultos, los secretos evocados en medias palabras pero nunca explicitados. No hay que creer que los jóvenes no comprenden nada de las alusiones o no se plantean cuestiones sobre la realidad de la vida de sus padres. Además, no es deseable excitar la curiosidad sin poner un término. Siempre es preferible dar un sentido claro a lo que se muestra, incluso a lo que se exhibe, aunque su verdadera significación permanezca oculta.

Es bueno darle confianza al adolescente explicándole una situación, incluso difícil, lo más simple y apaciblemente posible, con palabras justas y comprensibles, tratándolo como alguien responsable, como una persona completa.

¿Debemos por tanto decir siempre la verdad y toda la verdad?

La familia

No. A veces, se comprueba más pertinente ver cada caso. En efecto, el niño, como el adolescente, tiene necesidad de tener espacios de intimidad, zonas privadas, y no sentirse obligado a «decirlo todo» a sus padres. Tampoco tiene necesidad de que estos se lo digan todo y de que su realidad haga irrupción demasiado pronto en su vida.

Recibida demasiado pronto y demasiado brutalmente, la realidad de los adultos puede destruir su intimidad y su confianza. Cada vez más los padres, bajo el pretexto de la verdad, o simplemente porque son incapaces de contener y de controlar sus estados afectivos, desahogan en sus hijos los relatos de su vida íntima, afectiva y a veces sexual. Los toman como confidentes y los tratan de hecho más como si fueran sus propios padres que sus propios hijos. No es raro ver actualmente adolescentes, sobre todo chicas confidentes de sus madres, restablecer a sus padres en su lugar de padres haciéndoles observar que no quieren ser tomados como testigos y vivir como parásitos de su vida personal (cf. pregunta 30, p. 98).

30. Hago confidencias a mi hijo. ¿Eso puede perturbarlo?

La situación del adolescente confidente, felizmente, no tiene siempre efectos nefastos (cf. preguntas 23 y 29, pp. 81 y 97), pero podemos decir que nunca es benéfica. Los padres son demasiado importantes para el niño y éste, naturalmente, demasiado dependiente de ellos para que no sea extremadamente sensible a que ellos no se metan demasiado en su espacio privado y a que le dejen bases personales suficientes para una autonomía siempre difícil de conquistar.

Tratar demasiado pronto a un adolescente como a un adulto es imponerle un ritmo de desarrollo demasiado rápido, que no se adapta a la realidad de sus propias necesidades. Es robarle su infancia y obligarlo a excluir sus deseos de niño del resto de su desarrollo. El resurgimiento de estos deseos en la adolescencia corre el peligro de desorientarlo haciéndole sentir como pueril, es decir desplazado e inconveniente, lo que no es más que infantil, es decir lo que permanece del niño en él. Corre el riesgo también de cerrarse en sí mismo, incomunicado y aislado tras las murallas que se ha construido para ponerse al abrigo de los adultos, con una vida afectiva en circuito cerrado, separada de los intercambios con los otros.

La necesidad de verdad concierne a menudo a lo que es esencial en la vida de los adultos, sus pasiones y sus intercambios, es decir, su vida amorosa y sus conflictos familiares. Querer decir toda la verdad es hacer del niño el testigo de aquello de lo que no está en condiciones de acoger con los medios para juzgar y la perspectiva suficientes; es también pedirle implícita, o a menudo explícitamente, tomar partido, esencialmente entre sus padres o entre otros miembros de la familia. Es desgarrarlo en sus apegos y sus fidelidades y alienarlo con conflictos que no deberían implicarlo. Es, de parte de los padres, utilizarlo en un ajuste de cuentas entre adultos.

Asimismo es conducirlo a desidealizar brutalmente a sus padres. Estos ya no son percibidos como la figura de autoridad que le da confianza, protección y valorización, y cuya unión, por supuesto con sus conflictos, sus diferencias y sus oscilaciones, lo reasegura en cuanto a sus propias posibilidades de contener sus tensiones y sus conflictos. Por ejemplo, hacerlo partícipe de las dificultades de la pareja supone a menudo confrontarlo brutalmente a un cuadro caricaturesco con, de un lado, el padre bueno, leal, fiel, representante del deber, y, del otro lado, el padre malo, voluble, adepto al placer y a dejarse llevar. En el mismo adolescente este conflicto, al que nadie escapa, corre el riesgo de volverse a vivir de una manera violenta y destructiva, como si ningún compromiso fuera posible.

Pero la verdad no concierne únicamente a los conflictos familiares y a los secretos de familia. También es solicitada por la cuestión de la enfermedad y de la muerte. Posiblemente sea la de los padres o la de miembros de la familia, pero también puede afectar al mismo adolescente. El contexto es totalmente diferente de las situaciones precedentes. Compartir la verdad aproxima más que divide. Parece inútil intentar proteger particularmente al adolescente escondiéndole la realidad. Eso lo infantiliza y muestra que dudamos de sus capacidades para hacer frente a sus sufrimientos y a sus inquietudes. Hacerle participar, con tacto y matices, pero integrándolo en la gestión de los adultos, es una forma de iniciación en la vida adulta. Eso le confiere un papel activo y lo valoriza, a la vez que facilita un intercambio más auténtico con los adultos, lo que le permite beneficiarse eficazmente de su apoyo.

31. Su madre es su mejor amiga. ¿Eso es bueno para su equilibrio?

Es una frase que escuchamos a menudo, y en ese sentido más frecuentemente que entre padres e hijos. La relación entre hombres es habitualmente más distante, tanto en el plano de la proximidad física como en el de las confidencias. Es probable que la evolución liberal de la sociedad y de las relaciones en el seno de la familia, con una mayor libertad de expresión, haya facilitado este acercamiento madre/hija.

¿Esta situación es deseable? Se comprenderá fácilmente que la respuesta no sea unívoca. Tras la misma frase pueden esconderse realidades muy diferentes. Todo depende de la intensidad de la relación, de su carácter más o menos exclusivo, es decir, del grado de coacción y de dominio recíproco de semejante vínculo.

Seguramente es benéfico que el vínculo padre/adolescente sea libre e impregnado de una confianza compartida. Pero el vínculo padre-hijo, y más específicamente madre-hijo, es de tal necesidad que son necesarios unos contrapesos para que el niño pueda desprenderse. Esos contrapesos son los límites que impone la madre, las frustraciones, el hecho de que pueda fallar, o no responder, a todas las necesidades del niño. Eso le permite asumir la responsabilidad, progresivamente, de los aportes maternos, hacerlos suyos, interiorizarlos e identificarse con las características maternas y después buscar en otra parte, en una tercera persona, más particularmente en el padre, lo que no encuentra en la madre (cf. pregunta 25, p. 86).

En ese nivel un «compadreo» demasiado grande entre la madre y la adolescente encuentra sus límites. Corre el riesgo, en efecto, de traducirse a la vez en la persistencia excesiva de una dependencia afectiva entre ellas, pero también de mantener y agravar esa relación. Todo enganche a la presencia física de un padre puede hacer dudar de la calidad y de la realidad de las adquisiciones interiorizadas y asimiladas por el adolescente. Una transparencia demasiado grande de la vida íntima entre padres y adolescente puede frenar las posibilidades del adolescente de hacerse autónomo.

Esa relación privilegiada es difícil de abandonar, ya que ofrece, en el momento, muchas ventajas y pocas obligaciones. Sin embargo, hará difícil la elección de un compañero y mucho más en la medida en que tendrá necesidades y demandas muy diferentes de las de la madre, y que la relación idílica con ésta preparará muy mal a la adolescente a soportar una nueva relación en la que ella no será el objeto de semejante complacencia en la complementariedad.

En fin, si el vínculo persiste bajo esa modalidad, su carácter de lastre y de relación, de hecho profundamente desigual y desequilibrada, se revelará con el tiempo, cuando el envejecimiento de la madre y su desaparición dejarán a la hija sola para gestionar ese abandono, después de haber estado muy mal preparada para vivir otro tipo de vínculos.

El mejor vínculo con la madre es el que permite a la hija vivir sin su madre, lo que no quiere decir sin relación con ella, sino habiendo interiorizado las cualidades que ella le haya transmitido. Más tarde, la hija podrá a su vez hacer que saquen provecho los que ella ama y amará, esencialmente sus propios hijos, ya sean chicas o chicos.

32. ¿Es malo para su equilibrio que no vea mucho a sus abuelos?

Los abuelos son una suerte para una familia. Representan, en efecto, un tercero diferenciador ideal entre el bloque «papá-mamá» y los hijos. Muchos adolescentes que atraviesan una relación difícil con sus padres encuentran en uno de los abuelos un interlocutor en el seno de la familia con el cual pueden restablecer el diálogo. De él aceptarán el apoyo, los consejos, incluso manifestaciones de afecto compartido que no se permitirían con los padres. La diferencia de generación crea una distancia saludable. La expectativa y la dependencia afectiva están menos solicitadas y, por eso mismo, la receptividad del adolescente se encuentra acrecentada.

Pero la calidad de los vínculos con los abuelos no se crea en un día, incluso si la adolescencia puede llevar al redescubrimiento de un abuelo un poco olvidado. Es el fruto de una construcción que se apoya en la naturaleza de los vínculos entre los padres y sus propios padres. Niños y adolescentes son particularmente receptivos y atentos al clima afectivo entre las generaciones precedentes, y se implican muy rápidamente en las cuentas pendientes. En efecto, estas representan polos de fijación de los intereses familiares y conversaciones entre adultos que fascinan a los jóvenes, aunque no lo manifiesten. Los conflictos de las generaciones anteriores llegarán a ser por eso puntos de atracción para los niños pequeños, que tendrán una fuerte propensión a repetir situaciones y conflictos similares con sus padres. La similitud vendrá esencialmente por la necesidad del adolescente de ocupar el mismo lugar que el abuelo más investido en el interés del padre o de los padres. Pero posiblemente por formas de expresión muy diferentes de los conflictos vividos entre el padre o los padres y el abuelo o los abuelos.

Por ejemplo, una adolescente puede decir que detesta a su abuela materna, por «el mal» que habría hecho a su madre, pero «se las arregla» para movilizar intensamente su interés inquietándola con una conducta anoréxica. Reproduce de este modo una relación en la que ella hace a su vez sufrir a su madre con su comportamiento, lo que lleva a veces a la abuela a tomar partido por su nieta y a criticar a su hija por su educación.

En estas condiciones, un adolescente que se aleje por mucho tiempo de sus abuelos, pierde una potencialidad de apertura particularmente interesante. Semejante actitud puede ser la consecuencia de una tentativa de captación por parte de los abuelos. Pero, habitualmente, es el reflejo de conflictos más o menos manifiestos entre las dos generaciones precedentes. Sería útil, para los padres que lo constatan y lo lamentan, preguntarse sobre sus verdaderos sentimientos con respecto a sus propios padres y su eventual ambigüedad, incluso ambivalencia.

33. ¿Las relaciones con los suegros son más difíciles de establecer?

La multiplicación de familias reorganizadas convierte esta cuestión cada vez en más actual. Es una fuente habitual de lamentos, reivindicaciones y conflictos interminables. Sin embargo, los suegros, al no crear vínculos de dependencia y de obligación tan fuertes como con los padres reales, suscitan en realidad menos problemas y menos conflictos de lo que parece. Además, la mayoría de los conflictos sólo adquiere importancia con relación a los padres reales.

Esto no significa que el suegro de un adolescente no pueda ser más importante que su padre o su madre, ni que no pueda jugar un papel más determinante para su futuro. Evidentemente, eso no es excepcional. Pero, incluso en ese caso, cuando «funciona» con un suegro, funciona mejor aún cuando no era evidente *a priori*. En ese caso, nos decimos, y el adolescente el primero, que es más notable cuanto que no estaba previsto. Todo el mundo exclama admirativo: «Cuenta tanto como si fuera su padre o su madre». O: «Está más unido a su suegro que a su madre». Justamente, porque no parece tan natural querer a su suegro o a su suegra como a su verdadero padre o a su verdadera madre, por lo que es más fácil para el adolescente. Más fácil porque es querido, aceptado, incluso elegido en razón de las cualidades del suegro. No se elige al padre o a la madre. El adolescente puede tener el sentimiento, si no de elegir al suegro, lo más a menudo impuesto por la pareja con la que vive, al menos de elegir la naturaleza de la relación que tendrá con él.

No obstante, la situación es diferente cuando el suegro ha educado al niño desde su nacimiento, o de manera muy precoz. Nos encontramos en una situación próxima a la adopción (cf. pregunta 27, p. 91). Pero en la mayoría de los casos el suegro ha aparecido tarde, y a menudo en ese caso la persona a la que sustituye, el padre o la madre, está aún viva y a veces, también ella, ha formado de nuevo una pareja. En ese caso, el buen como el mal entendimiento se perciben de hecho más profundamente. El rechazo del suegro, sin duda alguna favorecido a veces por una actitud inadecuada, corresponde al menos en gran parte a un conflicto con los padres reales. Si el adolescente tiene el sentimiento de que ha sido el preferido, el suegro es a menudo vivido como un usurpador que ha robado al padre real. En ese caso se coloca más como rival del suegro que en una posición filial y desplaza sobre este su rivalidad con el padre.

Corresponde pues, en general, más a los padres que a los suegros movilizarse para resolver o atenuar el conflicto. Ahora bien, demasiado a menudo, los padres se convierten en cómplices involuntarios de esta situación bajo el pretexto de que parece normal que el suegro sea difícilmente aceptado por el adolescente. De hecho, el padre ayudará realmente al adolescente a encontrar las relaciones apacibles diciendo tranquilamente, pero con firmeza, la realidad de la situación, aunque al precio de explicaciones y de conflictos. Desgraciadamente, los padres tienden a evitar estas discusiones, en parte porque frecuentemente se sienten de hecho culpables «de haber hecho eso» a su hijo.

34. Tiene hermanastros y hermanastras... ¿Eso amenaza con desequilibrarlo?

Esta situación recuerda mucho la cuestión precedente y obedece a las mismas reglas. A saber, que son sobre todo el contexto familiar global y la cualidad de los vínculos con los padres los que parecen determinantes. La aparición de una nueva fratría exacerba la envidia y la rivalidad, como si se multiplicaran al cuadrado. No solamente el adolescente debe confrontarse a un nuevo niño que podría ser el preferido, sino que sólo tienen un padre en común. *A priori*, el nuevo compañero de la madre o del padre corresponde a una elección preferente en relación a la pareja anterior, y por lo tanto su hijo común aparece habitualmente como el que debe ser más querido.

A esta rivalidad afectiva se añadirán muy rápidamente elementos de realidad que serán otras tantas ocasiones de tensiones y de conflictos y servirán de pararrayos para la insatisfacción. En efecto, el adolescente puede hacer reproches con mayor dificultad a los suegros o a los mismos padres que a otros jóvenes como él. Estos elementos van desde el reparto de habitaciones a la futura herencia, pasando por todos los repartos de tiempo, de atención, de regalos, de alimentos, de dinero de bolsillo que marcan la vida cotidiana.

Hablando abiertamente de estas realidades, reconociendo el carácter normal de las rivalidades y envidias, es como pueden ser más elaboradas y, al menos en parte, superadas. Ahora bien, este tipo de intercambio es desgraciadamente raro, y muchos padres prefieren creer que todo va bien y dejan que sus hijos se las arreglen entre ellos…

35. No se entienden entre hermanos y hermanas… ¿Qué hacer?

Todos los padres desearían que hermanos y hermanas se entendiesen perfectamente. Les dan el mismo amor, por tanto, no hay ninguna razón para que se tengan envidia y riñan. Esta visión idílica y calmada de las relaciones fraternas apenas se corresponde con la realidad. La rivalidad es inevitable y la envidia, como los celos, son los sentimientos mejor compartidos entre los niños e, incluso, entre los adultos (los conflictos por la herencia son reveladores). Pero esto no impide experimentar al mismo tiempo amor y afecto, y de manera más sana y verdadera si la envidia y los celos son reconocidos, aceptados e integrados.

La familia

Basta observar a los niños entre ellos para comprender que su inclinación natural es querer ser los primeros, si no los únicos, en adueñarse del máximo de objetos posibles, así como en captar en su provecho la atención y el afecto de los adultos que se ocupan de ellos. «Es mío» es su divisa preferida y maldición a quien se oponga. Únicamente la educación de los padres conseguirá limitar esa expansión que los niños desearían infinita. La calma vendrá con la confianza en sus padres y con la seguridad de que tienen más que ganar arreglándoselas con sus hermanos y hermanas por el amor de sus padres que riñendo sin cesar.

La actitud de los padres determina en gran parte el clima afectivo entre hermanos y hermanas. Este papel esencial no depende únicamente del justo reparto del afecto entre cada uno, sino que depende también de su capacidad para limitar las manifestaciones de hostilidad y exigir un respeto mutuo entre los niños.

Los conflictos entre hermanos y hermanas pueden evidentemente estar alimentados por una diferencia marcada de afecto o de interés por parte de uno o de los dos padres. Pero también están ligados, más sutilmente, al verdadero trauma sufrido en el nacimiento de un hermano pequeño por un niño a veces muy o demasiado investido y adulado por uno de los padres. El niño puede vivir el acontecimiento como un verdadero abandono, un rechazo o, lo que es peor, una traición. El movimiento de odio con respecto al hermano que le ha robado a su madre, o a veces a su padre, es a menudo asfixiado y reprimido en el momento por miedo a perder el amor del padre. A veces resurge en la adolescencia y puede expresarse por un trastorno psíquico o de comportamiento.

Sea lo que fuere, cuando los conflictos llegan a ser demasiado ruidosos, corresponde a los padres ayudar a los adolescentes a empezar de nuevo imponiéndose límites y exigiéndose un respeto recíproco. La persistencia de las dificultades o el sufrimiento de los padres desbordados pueden hacer necesario una opinión especial y, a veces, una terapia familiar. Ésta facilita el apaciguamiento y la posibilidad de cada uno de encontrar su lugar.

36. Le he abofeteado. ¿He actuado bien o mal?

La bofetada, también el conjunto de castigos corporales, tiene actualmente mala prensa. Naturalmente vemos la expresión de un sadismo mal controlado, una manifestación de brutalidad física humillante, incluso traumática, para quien la sufre. La revelación de la frecuencia y de la violencia del maltrato infantil, durante mucho tiempo subestimada, ha jugado un papel en esta condena a menudo inapelable tanto de la bofetada «tradicional» de la educación antigua como del azote al niño pequeño.

Es verdad que se abusaba fácilmente y que ningún castigo físico es en sí necesario para una buena educación. Es preciso reconocer que traduce a menudo un nerviosismo mal controlado del padre, que se descarga así de una tensión excesiva cuando, en el colmo de la injusticia, es raro que el niño esté en el origen de esta tensión. Puede ser la gota que colma el vaso y sirva de chivo expiatorio cuando hay un conflicto entre adultos. Es el caso de la madre sobrecargada de trabajo, cuyo marido prefiere ocuparse de su ordenador, ir de pesca o salir con sus compañeros, antes que ayudarle… En ese contexto, el mínimo descarrío del adolescente amenaza con acabar en una bofetada que seguramente no se habría dado en otro momento.

Sin embargo, ¿esto es tan grave, y la bofetada debe ser proscrita? Como todo lo que concierne a la relación educativa, la bofetada debe ser resituada en el contexto de la vida familiar y de la calidad de las relaciones afectivas entre sus miembros, lo que le conferirá su verdadera significación. El recurso frecuente a las bofetadas muestra a un padre desbordado por sus emociones, que no encuentra otros medios de contener al adolescente y a sus propios sentimientos. Es el reflejo de un fracaso educativo que sólo puede predisponer al adolescente y colocarlo en una situación de debilidad con respecto a sus amigos.

Además, una bofetada no tiene la misma significación a los 10, 15 o 18 años. Cuanto más mayor es el adolescente, más humillante es. En efecto, se siente infantilizado, colocado en una situación pasiva y sin medios para responder cuando a menudo es más fuerte que el padre que se la ha dado… El carácter desplazado e inadecuado de la bofetada es lo que plantea problema. A la reprimenda se añade una herida al amor propio, y éstas dejan las huellas más duraderas y los rencores más violentos. Una bofetada en la adolescencia puede ser sentida como una ruptura del vínculo de confianza con el adulto. Esto será más cierto cuanto más pasional sea la relación entre ellos.

Por el contrario, una bofetada que responde en los mismos términos a una insolencia de un preadolescente que está sometiendo a prueba los límites de la tolerancia parental o dada en un momento de pérdida de control de un adolescente, incluso de más edad, bajo los efectos de una crisis de excitación o de un tóxico, puede tener un efecto benéfico. Coloca unos límites que sólo la palabra no logra poner. Además, la dimensión física del golpe permite al adolescente un reencuentro brutal con una realidad que resiste. Esta brutalidad, en ese marco preciso, puede tener un efecto apaciguador porque contiene y protege. Aparta al adolescente del dominio de sus únicas emociones internas y lo coloca ante un obstáculo exterior capaz de resistir a su violencia. Ya que ésta le da más miedo porque no sabe por qué está siempre presente y a qué corresponde; por encima de todo teme que lo inunde sin que pueda controlarla. La resistencia parental llega a ser en ese caso aseguradora, como puede serlo, para un niño que tiene una crisis de rabia, el hecho de ser tomado en brazos y apretado con fuerza. O, en un nivel más arcaico, la necesidad de los animales que tienen miedo, por ejemplo ante una tormenta, de acurrucarse en un lugar aparentemente poco confortable, pero que los envuelve. La fuerza de la contención exterior sirve de contrapeso, a la amenaza que representa la violencia de las emociones.

Por lo tanto, ninguna apología de la bofetada, que no puede ser más que un recurso excepcional. Pero tampoco dramatización, ya que puede ser preferible, para restablecer un contacto con un adolescente desbordado, a las tergiversaciones sin fin o a una resignación, que son seguramente las peores respuestas que puedan dar los padres.

37. ¿Hay que castigar a un adolescente?

Castigar a un adolescente no tiene nada de absurdo. En efecto, ¿por qué habría de escapar a todo castigo? Si dejamos de lado los castigos dados por terceros exteriores a la familia –escuela o justicia, por ejemplo–, los castigos en el seno de la familia deben antes que nada obedecer a reglas de coherencia.

Coherencia respecto a reglas propias de la adolescencia: no se empieza castigando a un niño cuando inicia su adolescencia. Coherencia también con relación a la edad: un castigo no tiene el mismo sentido a los trece años o a los dieciséis años, y no puede tener la misma forma. Coherencia, en fin, con respecto al medio de vida: el adolescente podrá vivirlo como una violencia intolerable si lo percibe como humillante e infantilizante…

La regla de oro en materia de educación es saber poner límites, contener, y a veces sancionar, sin humillar. En efecto, castigar no consiste en humillar, sino en poner un límite a una actitud o a un comportamiento, en sancionar una falta y en pedir reparación por un daño cometido. Es importante que, especularmente, el adolescente castigado tenga la convicción de que hubiera sido lo mismo para otro que para él.

En el castigo, el juicio recae sobre el acto y no directamente sobre el adolescente que lo ha cometido. Deja incluso entender que podría y habría podido actuar de otra manera, ya que tiene cualidades requeridas para hacerlo. Puede irritar en el momento, incluso provocar un sentimiento de humillación porque hay que someterse y que, por este mismo hecho, se sufre el castigo. Pero, en general, no deja ninguna traza… Todo lo más un acto o un propósito fastidioso que mejor hubiera sido evitar.

Por el contrario, todo lo demás es humillación. Tiene su origen en la voluntad de quien humilla de herir al otro. El juicio ya no concierne únicamente a los actos y a las palabras, sino al valor del adolescente mismo, considerado incapaz de actuar de otra manera, indigno de confianza, de estima o de interés. La herida va directa al corazón mismo del joven, que corre el riesgo de guardar una huella duradera. Ésta alimentaría, si persistiera, violencia y rencor...

En el contexto educativo actual, el castigo en el sentido estricto tiene menos lugar que el que tuvo en otro tiempo. Por eso, cobra fácilmente un aspecto humillante, ya que justamente lo desequilibra con respecto a los otros jóvenes. De hecho, el castigo raramente es necesario cuando el vínculo educativo, hecho de autoridad pero también de confianza, existe de manera continua y coherente desde la infancia. El recuerdo de los límites, más o menos conflictivo y objeto de discusión, es en ese caso suficiente. El recurso al castigo muestra muy a menudo un desbordamiento de los padres, en general porque no tienen suficiente confianza en ellos mismos para pensar en poder imponer los límites sin recurrir al castigo.

38. Ya no nos quiere. ¿Verdaderamente es posible?

Esta inquietud es experimentada y expresada frecuentemente por padres que no alcanzan a comprender que únicamente con apelar al afecto no puede ser suficiente para que el adolescente se conforme a sus deseos. La dificultad en comprender la naturaleza de los vínculos afectivos que unen a los adolescentes con sus padres es el gran malentendido de esta edad.

Ese malentendido es la consecuencia del carácter contradictorio de los vínculos de apego. Es la paradoja central del desarrollo: cuanto más inseguro se está internamente, más se depende del otro para reasegurarse, pero menos se puede recibir. Así, una dependencia afectiva excesiva con respecto a sus padres es lo que puede conducir a ciertos adolescentes a distanciarse de ellos convirtiendo sus expectativas afectivas en indiferencia o en oposición. Este comportamiento puede dar la impresión a los padres de que el adolescente ya no los quiere, aunque, en realidad, es una expectativa imposible de manejar.

Esta referencia a la cualidad del apego, para caracterizar la relación del niño con los padres y sus efectos sobre su desarrollo, permite dejar atrás las ambigüedades de la noción de amor y darle valor a la función fundadora del estilo de relación con el mundo, con los demás y consigo mismo, desde los primeros apegos. Un niño debe sentirse querido por los que lo educan para poder amarse a sí mismo y ser capaz a su vez de amar a los otros. ¿Pero, qué entendemos por amar? ¿Cuál es la naturaleza de este amor del que muy pocas personas, y padres en particular, dirían que están desprovistos? Y sin embargo sus manifestaciones, como sus efectos sobre los que son sus destinatarios, están lejos de ser idénticas. Hay muchas maneras diferentes de amar, incluso en la misma persona.

El amor de un ser humano por otro distinto de él mismo es el resultado de una compleja alquimia de sentimientos cuya calidad varía según el equilibrio de sus componentes y de las expectativas y necesidades de quien las recibe. Lo mismo sucede con el amor de una madre o de un padre para con su hijo. Este amor está hecho de la historia de estos padres, de lo que han recibido de sus propios padres, y con relación a esto reaccionará para repetir lo que ha vivido o, a la inversa, buscar desmarcarse, de sus expectativas y del encuentro de éstas con la realidad del niño. Está hecho de su capacidad de empatía, de identificación con el niño, de tener en cuenta sus necesidades y de lo que pueda sentir, evidentemente con el riesgo de una diferencia o de proyecciones no armoniosas entre el adulto y el niño.

Amar, puede ser, para algunos, buscar en el niño lo que hubieran deseado ser, ofrecerle aquello que han tenido el sentimiento de que les ha faltado, con el riesgo en ese caso de reglar sus cuentas con sus propios padres en detrimento de tomar en cuenta y de satisfacer las necesidades reales del niño. Para otros, esto será antes que nada buscar un espejo en el cual mirarse, o hacer al niño conforme a la imagen ideal que nos hemos forjado de él. Puede ser también buscar a través de él una compensación por lo que no se tiene en otro lado, o que se ha perdido: el amor de un padre, el de un cónyuge, la pérdida de otro hijo, una decepción en la vida profesional, etc.

Estos sentimientos, muy a menudo inconscientes para el que los vive, impregnan y orientan de manera decisiva las actitudes, los gestos, el conjunto de interacciones entre niño y adultos. Lo que importa es la naturaleza tierna, flexible, atenta de la relación o, por el contrario, brusca, tensa, sin consideraciones, igual como la calidad de placer compartido o de tensión más o menos agresiva entre el adulto y el niño. Estos sentimientos y actitudes pueden variar hasta el infinito de un individuo a otro, pero también en un mismo individuo según su situación, su entorno, su estado afectivo en ese momento.

Estos sentimientos, ampliamente inconscientes y más fácilmente perceptibles por los demás que por uno mismo, no son modificables con facilidad. Además, lo que el niño, y más todavía el bebé, percibe, no son las apariencias y lo que se dice, sino el estado de tensión o de relajación, de inquietud o de placer en el cual se encuentra el adulto. Todo esto se traduce mucho más por su tono muscular, el brillo de su mirada, la suavidad de sus gestos, sus entonaciones, que por el contenido de sus palabras.

Así, cuanto más confianza tenga en sí mismo, un individuo entrará más fácilmente en contacto con otro que no amenace su autonomía y del cual se podrá alimentar mucho mejor cuanto menos se perciba como hambriento y podrá elegir lo que le convenga, en las dosis deseadas. Esta seguridad que el individuo no tiene en su interior, intentará volverla a encontrar paralizando todo lo que podría desestabilizarla, en particular sus emociones y sus vínculos afectivos. En la adolescencia esto será particularmente cierto, espectacular, y a menudo dramático en sus consecuencias. Ciertos adolescentes afirman su existencia y su diferencia a la vez con una negativa y un rechazo categóricos de lo que se espera de ellos, principalmente por sus padres, y por una necesidad de ser vistos y de existir para éstos que sólo puede expresarse con la inquietud suscitada. El placer compartido, vivido como una rendición a los otros, es imposible. La intensidad incluso de la expectativa frustrada prohíbe toda satisfacción.

Así, toman distancia con respecto al padre al cual desearían complacer, al mismo tiempo se previenen de una decepción posible

Respuestas a 100 preguntas sobre la adolescencia

y, a menudo, obtienen el beneficio de provocar la atención desconsolada y apiadada del padre. Llegan entonces a estar cerca, pero en una decepción y un disgusto que les permite creerse lejanos, a distancia, en la indiferencia y sobre todo no creerse en el placer compartido.

De este modo el adolescente introduce mecanismos de distanciamiento con las personas que más inviste, privándose especialmente de las relaciones de ternura que facilitarían las interiorizaciones necesarias para reforzar su autoestima. Y la manera de introducir esa distancia es hacer sufrir e inquietar de una forma o de otra. En ese caso, el adolescente ni es culpable de placer excesivo con uno de los padres en detrimento del otro, ni está bajo la autoridad de ese padre. Sin embargo, no está solo, puesto que suscita la inquietud, y la situación de proximidad, evitada en el placer, se volverá a encontrar en la insatisfacción y la inquietud.

39. Somos padres maltratados. ¿Qué hacer?

Cada vez más los padres se lamentan de la violencia por parte de los adolescentes. Violencias verbales más que físicas, pero las primeras terminan por conducir a las segundas, si rápidamente no se pone freno. Se trata de una situación trágica y peligrosa, tanto para el adolescente como para sus padres, facilitada por la mayor libertad educativa actual y probablemente por el carácter cada vez más precoz de la pubertad y del acrecentamiento de la talla de los adolescentes. En efecto, cada vez es más corriente que tengan a los quince años un cuerpo de adulto, que sobrepasen una decena de centímetros la estatura de sus padres, aunque psicológicamente continúan siendo niños. Estas violencias frecuentemente son cosa de chicos con respecto a sus madres, a veces con sus padres, y en ocasiones con el suegro o el compañero de la madre.

Unos simples principios pueden ayudar a los padres a posicionarse frente a este tipo de situación:

◆ Un adolescente violento es siempre un adolescente que va mal. Jamás es un juego, contrariamente a lo que a veces se quiere hacer creer, ni la expresión de un exceso de vitalidad o de espontaneidad.

◆ La violencia corresponde a una pérdida de control interno siempre angustiante para el adolescente. El hecho de que concierna a un padre es, además, un factor agravante, ya que a la pérdida de control interno se le añade la caída de un tabú, el del respeto por los padres, y confronta al vértigo de la ausencia de límites. El adolescente presiente que, si esta prohibición desaparece, nada podrá retenerlo y permitirle controlar sus pulsiones.

◆ El levantamiento de esta prohibición «empuja al crimen», es decir, a la escalada de la violencia hasta que se encuentre finalmente un límite. Desvalorizando a sus padres, de los que es el fruto, el adolescente se desvaloriza a sí mismo y pierde toda referencia interna.

◆ La violencia muestra siempre un trastorno de los límites, una confusión entre sí y el otro que acentúa el sentimiento del adolescente de no ser dueño de sí mismo.

Por lo tanto, es vano y nocivo pensar que evitar el conflicto, dejando la falta de respeto y, con más razón, la violencia del adolescente sin respuesta, lo apaciguará y facilitará el mantenimiento de un buen entendimiento y de un vínculo de comprensión con él. Sucede siempre lo contrario. El respeto se adquiere desde la más tierna infancia y las primeras insolencias del preadolescente o del adolescente requieren una respuesta inmediata de los padres. Cuanto más tardía es la respuesta, más difícil será y amenazará con engendrar la violencia.

Los padres no están hechos para ser compañeros, sino adultos capaces de educar, es decir de trasmitir, con afecto, valores y límites, lo cual implica que existe una confianza del niño en el adulto.

Eso implica que el niño no debe jamás ser utilizado por el adulto para sus propias satisfacciones, sexuales evidentemente, pero también de amor propio y de ambición personal. Toda infracción del padre al respeto del hijo como sujeto diferente de él no puede más que descalificar al adulto.

El respeto de la diferencia de generaciones es un garante de la autonomía y, por lo tanto, de la futura libertad del niño. Insultar y golpear a un padre, igual que gestos y propósitos con tonalidad sexual, tienen una significación particularmente grave. Eso requiere una respuesta inmediata, firme y sin ambigüedades por parte de los padres. Se debe dar una explicación. Si el adolescente persevera y no comprende la advertencia, se impone una intervención exterior, especialmente una consulta psiquiátrica. La imposibilidad de contenerse puede significar el principio de un trastorno psiquiátrico, particularmente psicótico, y muestra siempre que el adolescente ya no tiene los medios de contener sus impulsos. Se le debe ayudar (si es necesario con medicación).

Los padres no deben decir «No podemos continuar así», y sin embargo continuar. Ahora bien, es forzoso constatar que muchos padres soportan lo intolerable por fatiga, laxitud, o incluso depresión y por miedo a gestos más graves. Esto indica generalmente la existencia de importantes conflictos familiares, a menudo muy antiguos.

A veces, uno de los padres, o los dos, va mal y él mismo tiene conductas violentas que le es imposible controlar. En otros casos, el conflicto parental es más latente. Uno de los padres, en general el padre, huye de la situación y evita posicionarse frente al adolescente por miedo a que se le reproche su conducta por este y por su mujer. Sin quererlo, la mujer intenta evitar el conflicto directo con su marido, pero utiliza al hijo como portavoz de su sufrimiento. Se crea entonces una complicidad entre el adolescente y uno de los padres, habitualmente la madre… El adolescente, entrampado por la situación, se hace instrumento inconsciente de una venganza sin comprender lo que le sucede. En un primer momento, la madre se muestra demasiado comprensiva con respecto a una revuelta que comparte en el fondo de ella misma, y busca excusar a su hijo y protegerlo de la cólera de su padre. Pero, muy a menudo, en un segundo momento, el adolescente invadido por una tensión interior de la que no comprende la causa, y enloquecido por esa excesiva proximidad materna, retorna su agresividad contra su misma madre.

Un padre no puede ni debe aceptar ser insultado o golpeado por su hijo. Estas situaciones requieren tratamientos, que son posibles, y que hay que instaurar. Rechazarlos no es aceptable. Sin embargo, es preciso saber que será difícil aportar una solución duradera y satisfactoria sin una labor de reflexión sobre el funcionamiento familiar y la naturaleza de los vínculos entre los miembros de la familia.

40. «Mira el mal que nos haces»

Este lamento, ya sea expresado claramente, o simplemente sugerido, es el de uno o los dos padres que sufren la actitud de su hijo y que no comprenden cómo, a pesar de su amor, de su afecto y de sus sacrificios, han llegado hasta aquí. Esta actitud se vuelve todavía más incomprensible por la laxitud, el sentimiento de agotamiento, incluso de abatimiento, pero también de injusticia frente a la evolución de la situación.

Al contrario, aunque sea comprensible, hay que evitar una actitud así. El adolescente tiene necesidad de encontrar adultos que le ayuden a poner un límite a sus impulsos y a gestionar sus emociones. Buscar suscitar su compasión es reconocerle un poder para maltratar, incluso para destruir al adulto, que amenaza con enloquecerlo y empujarlo a lo peor. Una vez más, hay inversión del orden generacional. Corresponde al adulto educar y buscar los medios de contener al adolescente, y si lo necesita con ayuda de terceros. Expresar su emoción y su pensamiento frente a la actitud del adolescente puede ser benéfico, si no se convierte en una costumbre insoportable para él. Pero el padre o los padres deben hacerlo después de poner los límites indispensables.

41. Nos debe respeto. ¿Es pedirle demasiado?

La relación padre-hijo debería estar fundada en el respeto. Ciertamente un respeto recíproco, pero asimétrico. El respeto consiste en reconocer al otro por él mismo, es decir, en tanto que persona completa, que tiene necesidades y deseos propios que no se confunden con los suyos. Este respeto, que cada padre debería colocar en la base de sus relaciones con sus hijos, está presente en diversos dominios: respeto a las necesidades del niño y a su autonomía potencial; respeto a su cuerpo, que no debe servir para saciar los deseos sexuales y/o agresivos de los adultos; respeto a su mente, que debe abrirse a la diferencia, y por tanto a la capacidad de crítica, por el descubrimiento del lenguaje, los aprendizajes, la cultura y los contactos fuera del medio familiar. Sin embargo, este respeto es obligatoriamente asimétrico en la medida en que los padres tienen el deber de educar a su hijo, mientras que a la inversa no es cierto, aunque a veces es lo que sucede en la adolescencia.

Este deber de educación implica una asimetría del respeto, que conlleva, tanto para el niño como para el adolescente, el respeto a las exhortaciones y a las reglas educativas, es decir, el deber de obediencia. Si el respeto pasa por la aceptación de las decisiones educativas de los padres, eso no excluye ni la discusión, cuyas modalidades varían de una familia a otra, ni el espíritu crítico. Pero, sea cual sea la crítica que pueda hacer el adolescente, el respeto le impone, al final, la obediencia a la decisión del padre, sin perjuicio de que se diga que tendrá la posibilidad, una vez sea adulto, de obrar de otro modo, incluso en la educación de sus hijos.

El respeto de los padres por el adolescente implica que las reglas fundamentales del respeto que le es debido hayan sido bien aplicadas. Todo será mucho más fácil si reina esta confianza recíproca que debe ser una de las claves de la educación. En efecto, es indispensable que cada padre esté impregnado de esta convicción de que su hijo le debe respeto y de que, a su vez, debe hacerlo todo para ser digno y adquirir su confianza. Para ser eficaz, el respeto funciona por sí mismo. Puede ser útil recordarlo en ciertas ocasiones, pero hacerlo demasiado a menudo lo priva de su credibilidad y vuelve a repetir de manera mágica una orden que ya no se consigue hacer entender. En ese caso es mejor analizar la situación de manera profunda y consultar una tercera persona, en caso de fracaso, más que repetir una frase sin efecto.

42. ¿La depresión de uno de los padres puede tener una influencia en su desarrollo?

No se es culpable de estar deprimido. Sin embargo, se tiene el deber de curarse y de actuar de manera que la depresión dure lo menos posible. En efecto, esta enfermedad tiene siempre repercusiones penosas sobre el entorno, en particular sobre los niños y los adolescentes. Todo lo que debilite a sus padres es angustioso para ellos. Pueden ver, inconscientemente, un efecto de sus ganas de hacerse grandes y ampararse en lo que da la fuerza a los adultos, como si el desarrollo de uno provocara el debilitamiento del otro… Y eso será mucho más cierto cuanto más dependiente afectivamente del padre deprimido sea el adolescente. Por lo demás, no es nada raro que esta fantasía entre en resonancia con la realidad. En efecto, la depresión de uno de los padres está frecuentemente en relación con una crisis de la pareja, favorecida por la perspectiva de la partida del adolescente.

Además, la depresión de uno de los padres remite al niño a su incapacidad de asegurar, con su sola presencia, la felicidad de éste. Es una herida narcisista que contribuye a relativizar el papel y la importancia de cada cual en su entorno. En fin, siempre interroga al adolescente sobre el sentido de la vida, su interés y lo que motiva a cada uno.

Aunque evite decirlo, e incluso pensarlo, un adolescente percibe siempre la depresión de un padre. Para limitar los efectos necesariamente nocivos, lo mejor parece ser poder nombrarla, explicar el sentido, las implicaciones y el tratamiento posible, incluso si estas explicaciones no son completas. Más allá del diálogo, el mejor medio de limitar los efectos de una depresión es curarla, manera de probar que se puede salir de ella si se hace lo que es conveniente. Dicho de otro modo: el primer deber de un padre es reconocer su depresión y curarse…

43. ¿El internado puede ser una solución?

El internado no puede ser por sí mismo una solución a las dificultades de un adolescente. Pero se trata indiscutiblemente de un medio y de un instrumento que pueden permitirle liberarse del punto muerto en el que está a punto de entrar.

El interés del internado es que ofrece al adolescente la triple posibilidad de estar a distancia de sus padres, de los que es demasiado dependiente para soportarlos, sin que por eso se encuentre solo, lo que todavía no está preparado para asumir, y en fin, estar rodeado, limitado y estimulado a la vez por adultos y compañeros neutros afectivamente.

Además, permite al adolescente salir de esa paradoja del apego que hace que cuanto más inseguro esté, más necesidad tenga de reasegurarse por la presencia de sus padres, y más coaccionado esté por escapar a lo que vive como un dominio de ese entorno interponiendo entre éste y él la insatisfacción, los lamentos y el sabotaje de sus potencialidades (cf. preguntas 7, 19 y 20, pp. 30, 68 y 72).

El pensionado no es ni un castigo al adolescente, ni la manifestación de un desafío con respecto a los padres. Justamente permite al adolescente vivir las adquisiciones hechas fuera de la mirada parental como suyas y no como el producto de una sumisión a su deseo.

Si se plantea con la suficiente antelación, preferentemente antes de los dieciséis años, permite limitar los riesgos del círculo vicioso del fracaso: el adolescente busca escapar a la influencia parental, por lo necesitado que está, no haciendo lo que se espera de él, especialmente en el plano escolar; al mismo tiempo, el fracaso le deprime y decepciona a sus padres; se decepciona él mismo, se desvaloriza, se desmotiva; aunque percibe que necesita ayuda, pero no soporta la de sus padres, buscará entonces un apoyo en sus compañeros, en los cuales encuentra el ambiente más o menos regresivo que le recuerda a su infancia, mientras que la toma de droga y de alcohol le ayuda a huir de la realidad… Es preciso evitar a toda costa este ciclo infernal antes de que tenga efectos demasiado deletéreos…

Sin embargo, el internado no debe relacionarse con una solución para romper con la familia. Al contrario, viéndose menos, padres y adolescentes salen de su exasperación recíproca y pueden sacar provecho los unos de los otros cuando se reencuentran. Están a menudo menos juntos, pero más felices de estarlo. Es el placer de los encuentros y a menudo del éxito escolar…

Por otro lado, las coacciones exteriores del internado dan a muchos adolescentes un sentimiento de libertad interior reencontrada. No tienen que soportar más coacciones de la vida familiar, que los incitaban a refugiarse en su habitación, para mirar películas, escuchar música, telefonear, teclear sobre su ordenador, comer, fumar o incluso soñar en la cama… Evocar esta separación a veces es suficiente para apaciguar los conflictos y mejorar las adquisiciones del adolescente.

Los padres, por el contrario, son a menudo más difíciles de convencer. Dudan de cortar con su hijo, temen que éste viva su partida como una sanción y se lo reproche, y, más profundamente, temen reencontrarse en pareja. No es raro, igualmente, que se sientan culpables del alivio que les procura esta separación temporal. En fin, pueden tener reminiscencias de una estancia en un internado vivida como penosa. Pero, además de que el internado ha cambiado desde su generación, olvidan a menudo que es mejor un mal recuerdo y algunos reproches respecto de los padres, que permanecer en el fracaso como única salida a la insatisfacción y la desvalorización de sí mismo…

44. Mi hijo tiene la llave de casa. ¿Es arriesgado que tenga esa libertad?

La descripción de estos *key children*, los «niños con llave», nos llega de Estados Unidos. Son la manifestación de un cambio de la sociedad y de la familia que ha visto especialmente la emancipación de las madres de familia y su acceso a una vida profesional.

Lo esencial es que la libertad no sea sinónimo de soledad o, más aún, de abandono. Pero, como siempre en el campo de la educación, el principio es más fácil de enunciar que de realizar. Y más aún cuando es difícil a veces percibir el hundimiento de un adolescente en un sentimiento de soledad. El adolescente puede, durante mucho tiempo, sentir esa libertad como una suerte sin percibir el surgimiento solapado de un sentimiento de morosidad, de enojo, de desmotivación. No siente el derecho, ni las ganas, de lamentarse, ya que no desea que sus padres se ocupen de sus asuntos. Piensa que no tiene nada que reprocharles e incluso tiene la suerte de que sean «guays» y de que lo dejen tranquilo. De hecho, sin ser verdaderamente consciente, buscará progresivamente el sostén y la presencia que le faltan en el entorno material (teléfono, vídeo, alimentos, tóxicos…) y/o después en sus compañeros (cf. pregunta 45, p. 125).

Esta libertad, para ser constructiva, debe acompañarse de momentos de encuentro y de intercambios privilegiados entre el adolescente y su familia. La cualidad de estos vínculos palía en ese caso su relativa debilidad cuantitativa…

Capítulo 4

Intimidad, vida sexual y amorosa

45. Sólo vive para sus amigos ¿Nos ha olvidado?

Los amigos son la gran riqueza de la adolescencia. Incluso si es importante que el niño se abra lo más pronto posible a los niños de su edad, éstos continúan siendo compañeros. Llegarán a ser verdaderamente amigos en la adolescencia, en el momento en el que el adolescente presiente que sus padres no pueden tener el mismo papel que antes y en el que será necesario encontrar otros apegos, antes que los vínculos amorosos tomen el relevo.

Un adolescente sin amigos es un adolescente infeliz y es preciso preocuparse, pero con discreción.

Un amigo es para el adolescente una apertura a todo lo que no es el universo familiar, una nueva referencia y un apoyo para afirmarse frente a sus padres. Es un espejo en el que buscar la nueva imagen de sí mismo, un doble que reasegura y conforta en su singularidad; o, por el contrario, un opuesto que manifiesta, expresa y a veces realiza lo que el adolescente únicamente sueña. Pero puede ser también el que reemplace ventajosamente a la familia, ya que el adolescente buscará en sus amigos lo que no le es posible encontrar en sus padres: compartir sin límites, una proximidad física y psíquica, la posibilidad de comprenderse sin tener necesidad de explicaciones, una aceptación sin reproches y sin consejos, que es el caso de los padres.

La amistad corre el riesgo en ese caso de no ser un vínculo enriquecedor complementario del vínculo familiar, sino el sustituto exacto de éste. El amigo o los amigos ocuparán el lugar de los padres, y esto en proporción a la intensidad de la decepción que experimenta el adolescente con respecto a sus padres, decepción y rechazo que alimenta la violencia del apego a los amigos.

El adolescente no está en condiciones de percibir que, de lo que huye por un lado, lo encuentra del otro: una dependencia afectiva y, a menudo, una cierta sumisión al grupo de amigos. Estos pueden ayudarle a encontrarse y no ser más que una etapa hacia apegos más temperados y más abiertos, una vez pasada la tempestad. Pero pueden tener también dificultades parecidas, en cuyo caso lo encerrarán y se encerrarán ellos mismos en el grupo, que se convierte en tribu o secta.

Entonces, ¿cómo renovar el diálogo con el adolescente? ¿Cómo evitar que su necesidad de contactos y de vínculos no lo esclavice a ese grupo y no lo conduzca a dejarse arrastrar por comportamientos perjudiciales para él y eventualmente para los otros? La respuesta es difícil para los padres, y su margen de maniobra estrecho. Sin embargo, no deben subestimar la dependencia y el apego que su hijo tiene hacia ellos: que no les escuche no significa que hayan dejado de tener importancia a sus ojos. No por expresarse negativamente, esta importancia es menor. También es esencial que persistan en afirmar su posición de padres.

Como siempre, los conflictos que oponen a los padres, a menudo no dichos pero expresados por sus contradicciones, juegan un papel que no es despreciable en la actitud del adolescente; es conveniente, pues, tomarlos en cuenta. Al mismo tiempo, mientras el adolescente dependa afectivamente, pero también materialmente, de ellos, sus padres han de ser capaces de exigir al menos la posibilidad de un diálogo. Para ello, podemos valorar la ayuda de un tercero que no sea parte implicada en el conflicto y que no tenga apegos previos con el adolescente o su familia.

46. ¿Es preciso que invite a sus amigos a casa?

Sí, ¡desde luego! Porque los amigos son una de las cosas –y una de las suertes– más importantes de la adolescencia. Como los profesores, pero de forma diferente, son una de las principales fuentes de apertura sobre un universo extrafamiliar. Si son importantes para el adolescente, no puede ser más que deseable, y benéfico, que sus padres los conozcan también. Recibir a amigos es una prueba de confianza recíproca, del adolescente respecto de sus padres y de sus padres hacia él. Puede suceder que éste muestre una cierta reticencia a invitar a sus amigos a su casa, a menudo porque teme los comentarios que podrían hacer sobre sus padres, está molesto por lo que podrían ver y a veces incluso porque tiene vergüenza de sus padres y de sus comportamientos o reflexiones posibles. Siempre es doloroso para los padres hacer esta constatación, pero es preferible, más que guardarle rencor o manifestarle decepción y agresividad, que le ayuden a superar estas reticencias hablando de manera abierta y clara las razones que las explican y modificando, si es necesario, algunas de sus actitudes, al mismo tiempo que le muestran que conservan el respeto de lo que son, que no tienen vergüenza de ellos mismos, y que él debe actuar igual.

En ciertos casos, son sus padres, y no el adolescente, los que no quieren recibir a sus amigos en su casa, por miedo a su mala influencia. Educar un adolescente en la desconfianza de sus compañeros, como si la juventud fuera una enfermedad, por miedo, digamos, del mal ejemplo, es catastrófico. Es prepararlo mal para el futuro y no tener confianza en sus capacidades de juicio. Aislándolo del mundo no aprenderá a discernir lo que está bien de lo que es nefasto para él y los demás, sino dejándolo que se confronte con él.

Sin embargo, los amigos que invita con su familia, deben respetar las reglas que la rigen, en particular en lo que concierne al alcohol y otros tóxicos y a las relaciones sexuales. Siempre es bueno que estas reglas se planteen claramente de entrada. El problema más grave sobreviene cuando los padres sospechan que los amigos del adolescente tienen una mala influencia sobre él. Evidentemente, la presun-

intimidad, vida sexual y amorosa

ción de inocencia debería aplicarse aquí como en otra parte, y nadie debe hacer un juicio sobre una persona sin conocerla, lo que sería, llegado el caso, dar un muy mal ejemplo al adolescente. Sin embargo, puede parecer necesario, en un momento dado, poner límites y pedir al adolescente evitar frecuentar ciertos amigos, incluso si, cuando se trata de «malas influencias», hay que saber mantenerse prudente: todo individuo es responsable de sus actos, y con el fin de evitar tenerlos en cuenta no habría que arrojar la culpa de ciertos comportamientos del adolescente sobre otras personas. Sin dar un ultimátum que no haría más que predisponerle, para convencer al adolescente de que ciertas amistades le son nefastas, sus padres serán más creíbles si no han mostrado demasiados prejuicios y *a priori*, y pueden argumentar su posición en hechos y actitudes precisas.

47. Mi hijo tiene malas compañías. ¿Es grave?

Es muy triste que los adolescentes más influenciables sean a menudo aquellos para quienes es particularmente importante lo que esperan de sus padres, y de los adultos en general. Su vulnerabilidad, ligada a su sentimiento intrínseco de inseguridad y a la mala imagen que tienen de ellos mismos, les vuelve a la vez extremadamente dependientes de la actitud de los otros y completamente intolerantes a los consejos y a las atenciones de aquellos a los que están más unidos, sus padres. Porque la intensidad misma de lo que esperan les hace reaccionar a cualquier aproximación hacia ellos como si no fueran capaces de existir por sí mismos. Dejados libres, se sienten abandonados; solicitados por las personas que están próximas a ellos, se sienten invadidos e incluso perseguidos. También buscarán fuera de su familia el sostén que no encuentran en ella, sea porque las respuestas son inadecuadas, sea –y las dos no son incompatibles– porque esta dependencia afectiva les es intolerable.

Paradójicamente, estos adolescentes encontrarán muy a menudo en sus amigos esta dependencia de la que huían en su casa. Pero esto puede llevarles a perder su libre arbitrio, a dejarse influenciar por un grupo o un individuo que tiene una fuerte ascendencia sobre ellos. ¿Cómo ayudar a su hijo a salir de este tipo de relación? Privilegiando la confianza en el seno de la familia. Cuantos más vínculos familiares respetuosos de la personalidad del adolescente y de su singularidad se hayan establecido, mejor se podrán atenuar los conflictos y las posibilidades de encontrar una respuesta adecuada a sus demandas afectivas serán más importantes.

Igualmente es mejor intentar reaccionar rápidamente –pero con tranquilidad, sin dramatizar y dando confianza al adolescente– a toda tentativa de acaparamiento excesivo de sus amigos. ¿De qué manera? Primero con la discusión, una demanda de información sobre lo que sucede, intercambio de puntos de vista y la movilización progresiva del conjunto de miembros de la familia. A continuación, puede revelarse benéfico recurrir a medidas de alejamiento y/o a un tercero, que no pertenezca a la familia y, por eso mismo, menos comprometido afectivamente en la relación. Si esto no es suficiente, se puede considerar pedir consejo a un psicólogo, iniciar una terapia familiar, incluso hacer intervenir a la justicia. En ese caso, sin embargo, los padres deben estar seguros de que sus temores no son la expresión de una inquietud comprensible pero sin bases concretas: deben basarse en hechos y comportamientos que ponen realmente al adolescente en peligro.

Si las malas compañías son una amenaza que concierne a los dos sexos, las adolescentes se muestran a menudo más vulnerables. En efecto, sus necesidades afectivas se traducen fácilmente en una relación pasional hetero- u homosexual que puede hacerlas totalmente dependientes de una persona a veces claramente mayor que ellas. Esta relación pasional externa a la familia puede ser la contrapartida, en la familia, de una relación muy fuerte con uno de los padres. La pubertad hace que este vínculo sea imposible de gestionar para el adolescente y puede precipitarlo en los brazos de un extraño. Lo que busca, sin darse cuenta, en la relación sexual, más que el acto sexual mismo, es un contacto casi primario, del orden de un agarradero inquieto, que no es más que el sucedáneo de imposibles encuentros con el padre, del cual permanece tan dependiente, demasiado dependiente.

48. ¿Es necesario hablar de sexualidad con su hijo?

Que lo deseen o no, es muy difícil para los padres no hablar de sexualidad con sus hijos, ya que es omnipresente en el discurso social. Los padres pueden además aprovechar esta omnipresencia para abordar el tema con el fin de evitar personalizarlo demasiado, centrarlo demasiado sobre el mismo adolescente.

Las discusiones más fructuosas son probablemente las más improvisadas, inesperadas tanto para los padres como para el adolescente. Por ejemplo, una conversación puede establecerse justo a continuación o durante una emisión de radio o de televisión, una lectura, un acontecimiento que tiene que ver con un compañero del adolescente, un curso de educación sexual o de prevención del sida… Las ocasiones no faltan. Como eso no le concierne directamente, el adolescente de antemano está presto a escuchar los comentarios de sus padres y a sacar aplicaciones para él mismo más que si se le implicara personalmente o se le pidiera explícitamente. Evidentemente, un clima familiar de confianza recíproca, de libertad de expresión y de respeto mutuo facilita mucho el intercambio.

Eso no excluye, evidentemente, tener, en privado, intercambios más convencionales y más formales sobre el tema, intercambios que tienen lugar muy a menudo entre el adolescente y el padre del mismo sexo. Los cambios de la pubertad y, en particular, en la adolescente, la llegada de las reglas, suministran un pretexto fácil.

No parece deseable banalizar el discurso de los padres sobre la sexualidad y reducirlo a una práctica como cualquier otra, ya que la sexualidad representa lo más íntimo en cada uno de nosotros, tanto fisiológica como psíquicamente.

49. ¿Es preciso aceptar las relaciones amorosas en casa?

Saber si hay que aceptar que su hijo o su hija duerman bajo el techo familiar con su amigo o su amiga es típicamente una cuestión nueva, ligada a la evolución de las costumbres. Porque sólo hace una o dos décadas que algunos adolescentes llevan una vida de pareja, regular o intermitente, en casa de sus padres. Anteriormente, esto sólo podía darse de manera clandestina.

¿Qué debe responder cuando su hijo haga la pregunta? ¿A partir de qué edad podemos aceptarlo? ¿En qué condiciones y con quién? Demasiadas cuestiones a las cuales sería muy pretencioso querer dar una respuesta única. En efecto, no se puede responder más que caso por caso, según la situación familiar de cada adolescente y los valores que sirven de referencia a sus padres. Aunque no existe una evaluación «objetiva» y estadística de los efectos de esta práctica sobre el desarrollo de los adolescentes, podemos aportar a los padres, sobrepasados a menudo por los acontecimientos y perplejos en cuanto a la actitud que deben adoptar, algunas referencias que pueden ayudarles:

◗ Querer tener relaciones sexuales en el domicilio familiar es una manera para el adolescente de que sus padres las garanticen.

◗ A menudo, también es un medio inconsciente de buscar excitar su curiosidad, su envidia e, inversamente, una manera de expresar la intensidad de la propia curiosidad con respecto a su vida de pareja. Lo quieran o no, sean o no conscientes, los padres están colocados en situación de testigos y, por tanto, comprometidos en su responsabilidad, lo que representa para el adolescente la garantía moral de la que hemos hablado antes.

◗ La proximidad de los padres, justificada por razones de comodidad, de coacciones materiales y financieras, puede igualmente ser una manera de imitar a los padres. Sin embargo, no es deseable abordar la cuestión con su hijo bajo esta perspectiva.

◗ Los padres pueden ayudar al adolescente a mostrarse prudente y a no adoptar demasiado fácilmente, como si fuera natural y sin incidentes, comportamientos que no lo son. Aceptar demasiado pronto las elecciones amorosas de su hijo lo puede llevar a responder multiplicando las rupturas, para provocar a sus padres, o, por el contrario, comprometerse prematuramente... O incluso, aceptar inmediatamente al recién llegado puede impedir al adolescente volver a plantearse su elección. Esto puede también suscitar su envidia, si tiene el sentimiento de que sus padres lo aprecian más que a él mismo, y encuentran en él o ella al hijo o a la hija que no han tenido.

◂▸ Parece más prudente guardar las distancias con estas prácticas, evitar que no sean demasiado precoces o que no se conviertan en normales o rutinarias. Poner algunos límites aceptables debería ser suficiente: por ejemplo, pedir al adolescente esperar a una cierta edad, haber tenido la experiencia de una cierta autonomía y de una cierta madurez, buscar la manera de que no tenga consecuencias ni sobre su trabajo personal ni sobre el espacio privado de cada uno, ya sea el suyo, cuando desea encontrarse solo, o el de sus padres.

Evidentemente, la manera en la que los padres del otro adolescente reaccionarán puede complicar la situación introduciendo comparaciones y, por lo tanto, rivalidades a veces difíciles de gestionar. En ese caso, será juicioso mantener sus propias posiciones sin dramatizar, descalificar o diabolizar la de los otros padres si adoptan una actitud diferente...

50. Se dedica a juegos sexuales ¿Hay que prohibírselos?

La sexualidad del adolescente pertenece a la esfera privada. La educación tiene por objetivo ayudarle a integrar este elemento y a gestionarlo sin por eso encerrarse en lo no dicho y la soledad. Es deseable que el adolescente pueda oír hablar de la sexualidad en casa, de una manera general o con ocasión de acontecimientos, de películas, debates (cf. pregunta 48, p. 130). Pero no lo es que sus padres se ocupen de su sexualidad. Una intención así corre el riesgo de hacer más daño que bien, por la importancia del vínculo afectivo que los une, y viceversa, al adolescente. Deben mostrarse acogedores, crear ocasiones de intercambio, pero no querer conocer las prácticas sexuales de su hijo. Será mucho más provechoso evocar las prácticas sexuales, los eventuales problemas y los necesarios límites que plantean de forma indirecta, por ejemplo hablándolo a propósito de terceras personas.

Sin embargo, si las prácticas sexuales del adolescente desbordan la esfera privada, se hacen manifiestas o parecen concernir a miembros de la familia, es conveniente hablar con él para ayudarle a reintegrarlas en la esfera de su vida privada y mostrarle los límites, en particular si los padres tienen la impresión de que los hermanos son cómplices o las comparten.

Los juegos más o menos sexualizados son frecuentes en la infancia. No hay que confundirlos con el abuso sexual, que supone el ejercicio de la fuerza física y/o la coacción moral de un mayor con respecto a uno más joven, y más generalmente de uno más fuerte a uno más débil. Los juegos sexuales más habituales forman parte de la manera en la que los niños se exploran y se descubren mutuamente; no tienen nada de anormal. El adulto no debe por tanto sancionarlos; debe, por el contrario, explicar muy pronto al niño, sin por eso reñirle, que su cuerpo le pertenece y que debe guardar sus zonas más íntimas para él hasta que sea más grande y pueda entonces compartirlas con la persona que ama.

Sin embargo, estos juegos se convierten en más ambiguos en la adolescencia, a causa de la madurez física del adolescente y de la conciencia que adquiere. Ya no son, pues, aceptables y, si los adultos tienen conocimiento, tienen el deber de prohibirlos, apoyándose en la necesidad de preservación de la intimidad de cada uno y en la prohibición de la sexualidad compartida en el seno de la familia.

La masturbación, por el contrario, es una actividad normal que, también, es del dominio de la intimidad de cada uno y que, por lo tanto, no ha de ser objeto de un escaparate, ya sea en el seno de la fratría o fuera, ni ha de ser el objeto de una exhibición verbal (bromas y provocaciones, a menudo penosas, a las cuales se creen obligados muchos adolescentes). Lo que se refiere a lo íntimo y a lo privado ha de ser siempre objeto de respeto y de delicadeza, incluso si la broma o la grosería no es causa de traumatismo.

El respeto, no obstante, no es ni la vergüenza ni la culpabilidad. Si el adolescente aborda directamente o indirectamente el tema, sus padres deben responderle con simplicidad, dándole las informaciones que pide, siempre respetando los límites que se imponen. Sin embargo, no se podrá evitar que el adolescente se culpabilice por sus actividades sexuales. En efecto, están ligadas a fantasías, recuerdos e imágenes de la infancia culpabilizados a menudo, porque son vividos como una efracción peligrosa en el mundo reservado a los adultos. Sería vano creer que una libertad sexual demasiado amplia de los padres, incluso si sólo se manifiesta en palabras, libera a los niños. Por el contrario, les impide tomar a los adultos y, sobre todo, a sus padres, como figuras protectoras y aseguradoras, lo que convierte toda exhibición de la desnudez de los padres en bastante turbadora y a menudo angustiosa para los hijos. Aunque esto no siempre es traumático, nunca es benéfico.

Ni la represión ni el incordio son en este asunto una respuesta apropiada por parte de los adultos. Volver un siglo atrás, cuando la masturbación era considerada como un pecado e incluso como una actividad peligrosa, es, una vez más, contribuir a culpabilizar al adolescente.

También es deseable, en la medida de lo posible, desculpabilizar todo lo que tenga que ver con la sexualidad. Sin embargo, no es preciso intentar banalizarla ni quitarle la gracia, sino presentarla a su hijo como una fuente de placer y de riqueza compartida, sinónimo de un vínculo amoroso recíproco, un bien precioso que, como todo lo referente a lo más íntimo del individuo, impone delicadeza y respeto.

51. ¿Es homosexual?

En el momento de la adolescencia, la pubertad, que a menudo es un periodo revelador, un cierto número de padres se interrogan sobre la orientación sexual de su hijo; además, los encuentros y las incitaciones pueden jugar un papel importante en esta edad de la vida.

La orientación sexual del ser humano es un fenómeno complejo en el cual se entrecruzan influencias en parte hormonales, pero también y, sobre todo, psicológicas y culturales. Cada individuo posee hormonas llamadas masculinas y femeninas, y el embrión empieza por ser femenino antes de que la influencia masculina aparezca en el futuro niño. Cualquier niño tiene modelos masculinos y femeninos, empezando por sus padres, con los cuales buscará parecerse e identificarse, de manera que adquirirá así rasgos de carácter, actitudes y comportamientos a la vez masculinos y femeninos. En la adolescencia, la elección de una orientación sexual depende del resultado de todas estas influencias combinadas con las de los encuentros, amistades y admiraciones del momento. Parece, por otra parte, que la homosexualidad masculina puede ser a veces la consecuencia de una profunda identificación con una madre deprimida, que el hijo intenta consolar, y un padre lejano y desvalorizado. En cuanto a la homosexualidad femenina, podría a veces resultar de una relación demasiado seductora con el padre, en la cual la madre, por el contrario, es vivida como fría y retraída.

Si la elección de la homosexualidad parece imponerse muy pronto a ciertos niños al nivel de sus atracciones, sus fantasías y sueños, para muchos otros esta elección permanece durante mucho tiempo abierta. En ese caso, su determinación final depende muy a menudo de las influencias ejercidas por el entorno del adolescente, principalmente por sus amigos. Así, muchos adolescentes tienen una orientación más «hemofílica» que homosexual. Su atracción por las personas del mismo sexo se parece más a la necesidad de reforzar la confianza en sí y de evitar la soledad, que a una cuestión de sexualidad propiamente dicha, que aparece por lo demás secundaria,

Intimidad, vida sexual y amorosa

aunque pueda ser determinante para el futuro. Esta atracción es facilitada también por el miedo a lo que es diferente, lo femenino o lo masculino.

¿Qué pueden hacer los padres? Naturalmente, no vivir con miedo que su hijo o su hija llegue a ser homosexual e intentar prevenir este riesgo con consejos o actitudes forzadas. Es el equilibrio natural de los roles masculino y femenino en la pareja parental el que tendrá probablemente la influencia más importante sobre el niño y el adolescente. Ahora bien, la pareja es lo que es, incluso si puede evolucionar en función de los intercambios y de las tomas de conciencia de los padres, y no sirve para nada disimular los riesgos y las dificultades. Asumir lo que se es ayuda al adolescente a asumirse a sí mismo.

Recordémoslo, la homosexualidad no es una enfermedad. Los padres pueden haber deseado otra elección para su hijo, especialmente porque la homosexualidad comporta coacciones psicológicas, en particular de dependencia afectiva y de repliegue sobre lo mismo (*homo*), y limita las posibilidades de procreación… Pero, si el adolescente es fiel a esta elección, el papel de los padres será más bien ayudar a asumir y no intentar reprimirlo y no dejarle otra perspectiva que ser infeliz y/o forzado a llevar una doble vida, opciones que a menudo van unidas.

Pero toda atracción homosexual no quiere decir que uno sea homosexual y, con más razón, que lo sea siempre. En efecto, la necesidad de encontrar apoyo y amor, sobre todo si se duda de sí mismo, si se menosprecia uno mismo, puede conducir a engancharse de alguien, del cual se tiene el sentimiento de que se está más próximo porque es del mismo sexo. No es raro que el otro se encuentre en una situación idéntica. Sin embargo, aunque esta elección no sea definitiva no hay que considerar por eso, que a esa edad, las prácticas homosexuales y heterosexuales son equivalentes. Toda práctica sexual, como todo comportamiento o todo apego, tiene tendencia a reforzarse y a hacer difícil un eventual cambio posterior.

De ahí la dificultad del rol de los padres, que deben evitar dramatizar la situación y culpabilizar al adolescente, pero deben también ayudar a no cristalizar elecciones que podrían permanecer abiertas. La situación se complica más si el adolescente mantiene una relación sexual con un adulto. Éste ejerce a menudo, voluntariamente o no, un dominio moral sobre el adolescente; no es raro que busque llegar a ser su mentor, en cuyo caso puede nacer una lucha de influencia con los padres. Ahora bien, el adolescente tendrá tanto más tendencia a aproximarse a su amigo cuanto más huya de una dependencia afectiva de sus padres que no puede gestionar. La traslada, sin saberlo, sobre su nueva relación, pero con un sentimiento de libertad y de libre arbitrio que conforta la oposición a los padres, sin percibirse de que estos dos vínculos, por su carácter coactivo, se asemejan mucho más de lo que parece. En ese caso, el adolescente no soporta la soledad, no puede estar sin una presencia afectiva, y experimenta constantemente la necesidad de sentirse indispensable; no llega a disponer del tiempo de encontrarse un momento solo frente a sí mismo y elegir establecer una relación en función de sus verdaderos deseos y no tanto por la urgencia.

Ahora bien, justamente porque es respetable, pero grave en consecuencias, esta elección, como toda elección importante, merece que se le deje el tiempo de madurar, tanto en lo que concierne a los chicos como en lo que concierne a las chicas. Si la cuestión ha sido planteada aquí en masculino, es porque es más a menudo objeto de inquietud, en los padres, para un chico. Posiblemente porque la «hemofilia», tal como ha sido descrita antes, es un fenómeno más fácilmente aceptado entre las adolescentes que entre los adolescentes y conduce menos frecuente y menos rápidamente a una práctica sexual que contribuye a fijar la elección.

52. ¿Hay que dejarla salir sola?

Una vez más, la cuestión de los límites está en el corazón de las interrogaciones de los padres. Cualquier padre sabe intuitivamente que están implicados en la educación. Pero la liberalización de las costumbres ha conducido a que ya no haya casi consenso social sobre los límites que se deben fijar. Se han convertido en un asunto de cada familia en particular y, por eso, son para los adolescentes la expresión de la buena voluntad de los padres, lo que no hace más que reforzar el sentimiento de dependencia. El límite ya no es la manifestación de una regla que se impondría a todos. Por eso el adolescente no dudará en cuestionarla: «¿Por qué no me dejas salir mientras que los padres de mi amiga se lo permiten?» (cf. preguntas 3, 7 y 8, pp. 17, 30 y 36).

Muchos padres desearían evitar entrar en conflicto con su hijo, ya que desearían que fuese bastante razonable para fijarse él mismo los límites. Desgraciadamente eso no es posible, pero se puede establecer un debate en el seno de la familia, incluso intercambios de puntos de vista con otras familias.

Es demasiado laxo dejar a una adolescente decidir ella sola sus salidas: supone la confrontación demasiado pronto a elecciones imposibles y a situaciones con riesgo; implica, en fin, una forma de carencia educativa que equivale a un abandono afectivo. Pero tomar por referencia la educación que nosotros mismos hemos recibido es dar muestras de un excesivo rigor que coloca a la adolescente en una situación de debilidad en relación a la educación de su propia generación y que no la prepara para asumirse a sí misma. Los padres que adoptan esta actitud corren el riesgo de favorecer comportamientos de oposición por parte de la adolescente que pueden ir hasta la ruptura o empujarla a tomar riesgos inútiles por provocación.

Sin embargo, sobre todo no hay que dramatizar la decisión que se vaya a tomar. Todo el mundo tiene el derecho a los ensayos y a los errores. Una decisión puede ser siempre cuestionada, a la vista de las consecuencias que tiene sobre el comportamiento de la adolescente; un límite no adquiere todo su sentido más que en función de sus efectos. Sin mostrarse demasiado severos, los padres no deben dejar a su hijo tomar riesgos injustificados, incluso si hacer un juicio parece difícil. No obstante, su ansiedad tampoco debe convertirse en el referente esencial que tenga la adolescente en su relación con el mundo.

Por otro lado, se debe tener en cuenta la edad. Vale más parecer retrógrado y no dejar salir sola a una adolescente demasiado joven que transmitirle el sentimiento de que está sola para gestionar unos riesgos, que tiene más tendencia a infravalorar, cuanto más educada ha sido en un medio respetuoso y protector.

Los riesgos no parecen a menudo tan importantes para un chico, que lo imaginamos menos confrontado, en particular, a posibles agresiones sexuales. Sin embargo, la diferencia es probablemente más tenue de lo que fue en el pasado, y la necesidad de límites es también tan importante en los adolescentes como en las adolescentes.

53. Aún duerme con nosotros. ¿Es normal?

La intrusión de un preadolescente o incluso de un adolescente en la habitación de sus padres es más frecuente de lo que se piensa. Los pretextos son numerosos, ya sea una imposible cohabitación con los hermanos y hermanas, dificultades para poder dormir, pesadillas repetidas o cuidados que hay que prodigarle. La respuesta a esta pregunta es, por tanto, simple: dormir regularmente en la habitación de sus padres, al lado, con ellos o en lugar de uno de los padres, no es jamás benéfico y puede tener consecuencias negativas. Sea cual sea la edad del niño.

¿Por qué? La dependencia mutua del niño y de sus padres es demasiado importante para que estos no pongan extremo cuidado en que las condiciones de una separación mínima sean respetadas. La primera de las condiciones es que la habitación de los padres y la de los hijos estén separadas. La habitación es, por excelencia, el lugar del domicilio familiar que representa la intimidad de la persona. En el caso de los padres, esta intimidad también es la de la pareja y la de su vida sexual. La presencia del niño o del adolescente en su habitación no puede más que acrecentar su curiosidad a este respecto y, al mismo tiempo, obligarlo a reprimirla masivamente. Esta promiscuidad contribuye a atenuar la diferencia entre las generaciones y a acentuar las dificultades de diferenciación padres/hijos y de sus roles respectivos. El niño o el adolescente a menudo se instalan, por otro lado, en el lugar de uno de los padres, el padre en la mayoría de los casos, ausente de la casa o inducido a dormir en otra habitación.

Ahora bien, este enredo de generaciones es a menudo más importante cuando es un hecho adquirido y admitido por los padres que pone de manifiesto un problema de pareja. El niño o el adolescente sirven de compensación a ese malestar o a ese conflicto e impiden toda intimidad sexual y/o protegen a uno de los padres de la soledad. Pero reasegurándose, este padre coloca a su hijo en una situación de inseguridad; invierte los roles colocándole al servicio de sus necesidades y acrecienta más la dependencia en la medida en que esta situación empieza por dar placer al hijo antes que molestarlo. Estos parámetros diferentes hacen mucho más difícil, para el adolescente, el trabajo de adquisición de su autonomía.

Además, es fácil de imaginar que la pubertad, y la manera en la que sexualiza el cuerpo y las relaciones, provoca que la situación sea más difícil todavía de gestionar para un adolescente que para un niño.

54. Quiere tener su habitación. ¿Hay que aceptarlo?

La necesidad de marcar su autonomía y de tener un territorio personal es tan natural como la de sentirse envuelto y en contacto con los demás. Una es complemento de la otra, como lo son para el desarrollo de la personalidad del niño la necesidad de la continuidad de un vínculo afectivo estable y la de la separación y la apertura a la diferencia y a todo lo que no es el universo familiar.

Es decir, tan legítima es la reivindicación de una habitación para sí como deseable para el niño que pueda gozar de un lugar autónomo desde que tenga uso de razón. Lo que sólo es deseable durante la infancia se hace preferible con la pubertad. Ya que se trata no sólo de asegurar al adolescente una posible intimidad física y psíquica, sino también de permitirle confrontarse con la soledad…

No se trata, pues, únicamente de una cuestión de confort. Es bueno, en efecto, que un adolescente no sea dependiente de una presencia constante a su lado, especialmente para dormirse, teniendo en cuenta que nuestra civilización es una civilización del individuo, y ya no de grupo y que, por lo tanto, es importante saber gestionar su soledad.

Dicho esto, preferible no quiere decir indispensable. Hay que adaptarse, a la realidad tal como es. La situación material de ciertas familias puede hacer imposible esta separación del espacio en lugares autónomos. Incluso si no es posible responder al deseo del adolescente, es mejor, sin embargo, reconocer la legitimidad e intentar disponer la cohabitación para preservar de la mejor manera el derecho a la intimidad de cada uno.

Las ganas de tener su autonomía en la casa familiar se prolongarán más tarde en el deseo de tener un estudio o un piso propio. Pero la partida del domicilio familiar no debe ser demasiado precoz, porque un adolescente que no está suficientemente avanzado en sus estudios, no puede continuarlos sin el apoyo del marco familiar y no está en condiciones de gestionar su soledad en lo cotidiano.

Al contrario, los estudios, que son cada vez más largos, obligan a muchos jóvenes a cohabitar mucho tiempo, a veces demasiado tiempo, con sus padres. Esta posición los mantiene en una situación de dependencia que no posibilita una distancia relacional suficiente con sus padres y les hace irresponsables en la conducta de su vida cotidiana, lo que no supone la mejor de las preparaciones para una vida adulta.

Capítulo 5

La escolaridad

55. Mi hijo tiene malos resultados escolares. ¿Es perezoso?

El calificativo de «perezoso» es aplicado con más frecuencia a los chicos que a las chicas. ¿Es el calificativo adecuado? Podemos pensar que no, ya que manifiesta ante todo un juicio moral, más que una verdad psicológica. Una persona considerada perezosa deja de serlo cuando está motivada. Puede incluso mostrarse apasionada y ardiente en el trabajo.

Más que tratar a un niño o a un adolescente de «perezoso», es mejor preguntarse de dónde viene su falta de motivación. Colgarle una etiqueta peyorativa puede favorecer su identificación con la imagen que se le devuelve de sí mismo, sobre todo a esa edad.

¿Por qué a un adolescente parece faltarle totalmente la motivación para trabajar? Incluso si su desenvoltura aparente puede parecerlo, nunca es un signo de bienestar y de plenitud, sino un signo de falta de confianza en sí mismo, cuyas razones son complejas y variables. Pueden estar ligadas tanto al miedo del adolescente a decepcionar, como a una falta de confianza en sus capacidades para responder a lo que se le pide, como al miedo de afirmarse y de mostrar sus ganas de ocupar el primer puesto, incluso de aplastar a los otros con su superioridad.

Porque, en realidad, sentimientos de inferioridad y de superioridad no son más que las dos caras de las ganas de ocupar un sitio único, de ser el centro de atención. Pero si el éxito es aleatorio, depende de la opinión de los demás y jamás está garantizado, el fracaso, sobre todo cuando uno mismo es responsable, siempre es seguro y enteramente controlado. Es decir, el adolescente puede pensar inconscientemente: «Si trabajo y no obtengo los resultados esperados, se pensará, y yo el primero, que no soy tan capaz como se esperaba. Si no trabajo, no hay nada de extraño en que no tenga éxito, y siempre se puede pensar que si trabajara, tendría éxito...».

La pereza aparente protege de la decepción de un fracaso posible, sobre todo cuando el ideal de éxito es tan elevado –seguramente demasiado–, que parece, por lo tanto, fuera del alcance y provoca, por contraste, sentirse inferior. Un sentimiento de inferioridad es siempre relativo, se alimenta de exigencias excesivas y de deseos de grandeza.

Los ideales familiares ocupan un lugar importante en la manera en la que el adolescente concibe su éxito; se posicionará de forma diferente conforme a la que tienen otros miembros de la familia, de una manera, por otra parte, a menudo imprevisible, muy distinta según las circunstancias. Tal adolescente se sentirá apoyado e incluso lanzado hacia lo alto por el éxito de sus padres y/o hermanos y hermanas, mientras que otro rechazará la competencia y elegirá, a menudo inconscientemente, tomar el partido del diletantismo.

Según su sexo, la rivalidad jugará un papel diferente entre un hijo y sus padres. Un padre brillante y una madre en segundo plano, por ejemplo, pueden servir tanto de modelo como de contramodelo a los hijos del mismo sexo. La hija puede querer parecerse a su padre o prohibírselo por miedo a superar a su madre. Lo mismo para un chico; todos los posicionamientos son posibles y pueden sucederse en función de los acontecimientos y de la evolución personal de cada uno.

Una de las situaciones típicas del adolescente con fracaso escolar es la del chico que ha vivido hasta entonces apoyado por la admiración y la atención sostenida de su madre. Con la pubertad, el adolescente se siente obligado a tomar distancia, molesto por esta proximidad afectiva y física, y deseoso de afirmarse por sí mismo. Pero esta distancia, la relativa soledad que implica, el hecho de que nadie puede, verdaderamente, reemplazar a esa madre y a su mirada admirativa, contribuyen a deprimir al joven. Solo, tiene dificultad para trabajar y concentrarse. Se evade en ensoñaciones, buscará apoyos diversos: televisión, música, lecturas, amigos u otros pasatiempos menos anodinos. El hundimiento de sus resultados escolares no arregla nada: se decepciona y piensa decepcionar a sus padres. Buscará la comprensión que piensa que no encuentra en su casa en amigos que se le parecen, y tendrá el sentimiento de ser aceptado por ellos tal como es, suceda lo que suceda, como en otro tiempo con su madre. Puede suceder que esta búsqueda de consuelo mutuo derive progresivamente, al arrastrarse los adolescentes los unos a los otros, en consumo de hachís o alcohol. El fracaso del adolescente se confirma: sus resultados escolares cortan el camino de sus ambiciones, y más vale ser grande en el fracaso, si no se puede serlo en el éxito.

Su madre o su padre quieren ayudarle, hacerle trabajar, lo que no hace más que empeorar la situación, trasformar la vida familiar en una serie de incesantes conflictos. Todo placer compartido con sus padres le exaspera, como si estos no fueran capaces de quererlo más que en virtud de las satisfacciones que puede procurarles. Obtener una buena nota equivale a someterse a sus padres, a volver a ser el niño mimado y adulado de antes, que él rechaza, violentamente, porque sabe que conserva una nostalgia incurable. Sóio se siente él mismo, llevando una existencia propia, diferente de la de sus padres, en aquello que les aflige. Cuanto más intentan esconder su decepción, mostrarse comprensivos, más ganas y necesidad tiene de decepcionarles y de provocarles.

Aunque se constata a menudo que si los padres aceptan poner distancia entre ellos y el adolescente, antes de que la situación de fracaso sea definitiva, ésta es susceptible de invertirse. Una estancia en un internado, por ejemplo, puede permitir al adolescente, animado por el ritmo de la vida en grupo, reencontrar el gusto por el trabajo, y evitarle ciertas tentaciones a las que era difícil resistirse.

Además, experimentará que su éxito, obtenido fuera de la mirada de los padres, le pertenece realmente. Calmado, podrá entonces contraer con sus padres vínculos más positivos, y apreciar mucho más su presencia en la medida que los verá mucho menos (cf. pregunta 43, p. 119).

El resultado de semejante alejamiento, por supuesto, nunca es adquirido de antemano y depende en gran parte de la cualidad de los encuentros que pueda hacer el adolescente. Sin embargo, un distanciamiento, sea el que fuere, puede tener efectos positivos. Los más difíciles de convencer son a menudo los padres, que lo viven como un castigo y un abandono. Haciendo esto, confirman en el adolescente el sentimiento de que es incapaz de hacerse cargo de sí mismo. Los padres han de comprender que su mejor éxito es actuar de manera que el adolescente pueda probar sus capacidades de autonomía. Incluso si las ha construido a partir de lo que ha recibido de ellos, sus éxitos le pertenecen propiamente, y debe persuadirse de ello. Sólo entonces puede volverse hacia ellos suficientemente seguro de sí mismo para poder aproximarse sin miedo.

56. ¿Qué hacer si sus profesores no le entienden?

A veces es verdad, pero lo más frecuente es que sea exagerado y dramatizado. El problema, sin embargo, no reside tanto en la realidad de la actitud de los profesores como en lo que significa para el adolescente el hecho de que sus padres puedan endosar a los profesores la responsabilidad de sus dificultades.

Un profesor siempre es importante: lo que es, lo que dice, lo que hace y la imagen que transmite al adolescente de él mismo tienen repercusiones sobre él. Sobre todo cuando el adolescente depende particularmente de la mirada de los otros sobre él para confirmar su estima. Por esa razón, la actitud de los profesores puede jugar un papel determinante en las motivaciones del adolescente, su interés por una materia y, en consecuencia, su éxito escolar.

Pero la mejor actitud de los padres, que buscan apoyar a un adolescente vulnerable, no es animarlo a incriminar a los otros en sus dificultades, ya que eso acentúa su falta de confianza en sí mismo, y le incita a pensar que no tiene los recursos necesarios para resolver su discrepancia con el profesor en cuestión. Una cosa es estar de acuerdo con él sobre el juicio que hace de la actitud del profesor; otra es intentar intervenir en su lugar o admitir demasiado fácilmente las consecuencias negativas en el comportamiento y los resultados del adolescente. La respuesta mejor adaptada por parte de los padres es hacer comprender al adolescente que están (eventualmente) de acuerdo en que la actitud del profesor en cuestión no es la más apropiada y puede incluso parecer sorprendente, pero quien cuenta es el adolescente, y no el profesor. Su objetivo debe ser el aprendizaje de la materia: el profesor no siendo más que un mediador, no debe estar en primer plano, sobre todo si es malo. Es necesario que el adolescente aprenda que no encontrará siempre los interlocutores que habría deseado, que sepa arreglárselas con eso y hacerse fuerte. Sobre todo, los padres deben mostrar al adolescente que están persuadidos de que él tiene en sí mismo los medios de gestionar la situación. Si no es el caso, eso quiere decir que entra en resonancia con otros problemas. Una ayuda exterior puede entonces ayudar a clarificarla.

Pero si esta situación no es reveladora de otros problemas mayores, debe poder ser resuelta insistiendo sobre el hecho de que el adolescente no debe esperar de los demás que le motiven, sino antes que nada hacerlo él mismo. No ser claro en la transmisión de ese mensaje es alimentar su dependencia con respecto a los adultos.

Incluso si la tarea educativa de los adultos es ayudar a crear las condiciones de esta motivación, el adolescente debe ser el actor de su propio destino. Crear estas condiciones no es ni evitarle los obstáculos, ni dejarle creer que no puede ser más que una víctima impotente, desprovista de medios de reacción frente a los fallos de los adultos.

57. ¿Hay que ayudar a un adolescente a hacer sus deberes en casa?

El lugar del trabajo escolar en casa está sujeto a debate. Y eso está muy bien, ya que es poco probable que exista una solución ideal.

Lo que es seguro es que los padres ocupan un lugar demasiado importante en la vida del adolescente, y que los adolescentes esperan demasiado con respecto a ellos, para que sea sano añadir la función de docentes a la de padres.

En lo que concierne al trabajo escolar, su papel se limita —y ya es mucho— a velar por el mantenimiento del marco de trabajo reclamado por los docentes y por organizar en consecuencia la vida en casa. Pueden aportar al adolescente una ayuda puntual, participar en un intercambio de ideas, sugerir el uso de recursos posibles, pero nada más. Ayudar al adolescente a organizar su tiempo, velar porque los deberes estén hechos; ir más lejos, por el contrario, es tomar riesgos excesivos.

Sin embargo, es importante que los padres se interesen por los resultados y las condiciones de trabajo de sus hijos, que valoren la escuela y a los profesores, aunque, no obstante, no tienen que jugar a ser profesores. Si el adolescente tiene necesidad de una ayuda, debe llegar de un tercero cualificado y menos directamente implicado en el plano afectivo que sus padres. Si no llega a trabajar solo, se puede considerar recurrir a un profesor particular o incluso llevarlo a clases de repaso, con la condición de que tal estructura exista en la escuela. Además de trabajar con otros (compañeros o terceras personas) al mismo tiempo es asegurar el compromiso que permite al adolescente sentirse a la vez sostenido y apreciar sus progresos, incluso sus buenos resultados escolares, sin sentirse deudor de sus padres.

Mientras que hacer trabajar al adolescente corre el riesgo de desencadenar un círculo vicioso incontrolable. En efecto, eso no puede más que reforzar el sentimiento que tiene de no poseer las capacidades necesarias, de depender, en todos los dominios de su

Respuestas a 100 preguntas sobre la adolescencia

vida, de sus padres, de que ellos tienen esas capacidades, y de estar, a pesar suyo, obligado a afirmar su diferencia en un mayor o menor fracaso sutil de los esfuerzos de los padres (sea buscando la confrontación y obstinándose, sea evitando todo conflicto aparente, hundiéndose suavemente en una «pasividad activa» que le hace estancarse en un nivel inferior a sus capacidades). Todo el mundo acaba entonces por ponerse nervioso. Si se desea que el niño desarrolle su confianza en él, es preciso que ejerza él mismo sus competencias y que se perciba lo más pronto y lo más completamente posible como el autor de sus obras. Eso es particularmente cierto en el trabajo de reflexión y en el de creación.

Puede haber excepciones, sobre todo si el adolescente es por otro lado autónomo. Pero si surge una connivencia particular entre uno de los padres y un adolescente en el plano escolar, se paga a menudo con una dificultad, más o menos retardada, en otro plano: aparición de un trastorno alimentario, episodio depresivo, aislamiento afectivo… Como si esta proximidad obligara a encontrar, en otro nivel, un modo de poner distancia con ese padre.

Por el contrario, los padres pueden tener un papel importante estimulando la curiosidad intelectual de su hijo: por ejemplo, discutiendo con él temas culturales de lo más diverso. Pueden, para hacerlo, apoyarse en emisiones de televisión, de radio o incluso sobre la lectura de magazines y la visita de exposiciones. Con otras palabras, el tiempo que el adolescente pasa en casa no es obligado que esté exclusivamente compartido entre sus deberes y sus distracciones, dejados a su única discreción. Dedicar el tiempo a compartir el placer de un intercambio o de una emoción estética se inscribe entre los dos.

58. Sus profesores preconizan que repita.

Repetir, a menudo, es un tema de conflicto entre docentes y padres. Es verdad que es difícil de resolver. La tendencia de las orientaciones escolares actuales es más bien evitar repetir. Pero más tarde puede llevar a orientar al adolescente hacia un itinerario que ya no corresponde a sus proyectos ni a los de su familia. Por el contrario, el hecho de repetir, y la herida de amor propio que conlleva, son desmotivantes.

La respuesta, pues, no puede ser más que puntual, y cada caso es distinto. Repetir debe ser objeto de una discusión profunda entre docentes, padres y adolescentes. La manera en la que se ha preparado la decisión, las condiciones en las que ha surgido, el sentido que toma para el adolescente, al igual que las esperanzas que surgen de la promesa de mejores resultados, contribuyen a que el proyecto de repetir no sea sinónimo de fracaso sino de éxito futuro.

59. ¿Hay que inquietarse si es superdotado?

Es una noción de moda la de los «niños superdotados». Pero este fenómeno de moda, como habitualmente es el caso, reposa en un malentendido. «Superdotado» significa en general que el adolescente tiene un coeficiente intelectual netamente superior a la media de los adolescentes de su edad (es decir, por encima de 140 o 150, para una media de 100). Sin embargo, estas cifras son el resultado de test que ciertamente han pasado la prueba de su validez estadística y pueden proporcionar una indicación pertinente para la continuación de estudios futuros, pero que no dan cuenta sin embargo de la inteligencia de un individuo, ya que son más susceptibles de señalar los déficits que las competencias. Porque la competencia es una noción compleja. Obtener buenos resultados en los test de CI no protege al individuo de las dificultades, incluso de una cierta inadaptación, en la vida corriente. Para afinar sus resultados, los test se subdividen, por otra parte, en dos categorías: los test verbales y los test prácticos, orientados más específicamente a las aptitudes prácticas y a la referencia de formas en el espacio. La cifra global puede entonces recubrir, en realidad, resultados de las desviaciones relativamente importantes.

Existen así niños cuyos resultados son superiores a la media sobre el conjunto de las pruebas, que podemos calificar de «superdotados harmónicos», y otros que tienen marcadores muy elevados en ciertos dominios pero menos brillantes, incluso francamente mediocres, en otros, que llamaremos los «superdotados disharmónicos». Estos últimos tienen a menudo graves problemas de integración, especialmente escolar. Algunos presentan, desde la infancia, trastornos del desarrollo que complican aún más su adaptación. Es frecuentemente el caso de los niños llamados «calculadores prodigio», que desarrollan competencias excepcionales en el cálculo mental, pero que simultáneamente pueden ser incapaces de relaciones sociales y de aprendizajes adaptados a la realidad.

Este desequilibrio puede ser mal interpretado por los padres, con graves consecuencias. Porque prefieren no retener más que las competencias extraordinarias y poner, a cuenta de estas competencias, fuera de lo normal, las dificultades de adaptación del hijo. La escuela y los programas escolares son considerados responsables de su inadaptación; reaccionando de esta manera, los padres rechazan ver las dificultades, especialmente relacionales, de su hijo. Este tipo de desmentida puede hacerse a propósito de niños agitados, afectados de trastornos de la atención, de una inestabilidad motriz y de desórdenes más o menos severos de la personalidad y del humor: se preferirá poner este conjunto de trastornos a cuenta de la superioridad intelectual del niño, se supone que aburrido por esto en una clase normal y que se siente incomprendido y perseguido por observaciones y sanciones consideradas injustas.

Pero lo propio de un niño superdotado y equilibrado es saber muy pronto adaptarse a las situaciones y compensar con un trabajo personal e intereses propios lo que los aprendizajes escolares no pueden aportarle. Puede adelantar un curso o desarrollar competencias específicas sin, por lo tanto, sentirse al margen, agitarse, hacer que los demás asuman sus propias dificultades. Estos comportamientos son, en realidad, los síntomas de dificultades de la personalidad.

Conviene admitirlas por lo que son: no una tara, sino una realidad a la cual hay que aportar una respuesta. Esta respuesta pasa a menudo por la valorización de las competencias específicas del niño, ya sea ofreciéndole clases particulares o escolarizándolo en una institución con pequeños grupos, cuyos ajustes pueden favorecer, por otro lado, su socialización. Hay un riesgo importante, en el caso contrario, de que el niño se encierre en una megalomanía, que lo conducirá inevitablemente a rechazar, en los otros, las dificultades que no puede asumir solo.

La gran mayoría de los superdotados que hemos llamado «disharmónicos» ejerce sus competencias excepcionales en dominios muy limitados o demasiado originales, sin vínculos con la realidad concreta. Son víctimas de graves dificultades relacionales, en general presentes en la infancia, que la pubertad revela un día. Es necesario ayudar a estos adolescentes a superar sus miedos y sus dificultades sirviéndose de su potencial, si es preciso usando como recurso estructuras adaptadas, pero vigilando siempre que fuerzas y debilidades no se enmascaren unas con otras.

Ser superdotado es una suerte que, no obstante, si las dificultades de inserción del adolescente no son tomadas en cuenta en su justo valor, pueden trasformarse en una carga demasiado pesada de llevar.

60. Está estresado a causa de la prueba de selectividad. ¿Qué hacer?

Es normal estar sujeto al estrés frente a cambios importantes. El modo de gestionarlo es lo que puede plantear problemas. El estrés no es a fin de cuentas más que un mecanismo de adaptación, los padres deberían tranquilizarse y evitar alimentar la supuesta ansiedad del adolescente frente al examen que tiene que hacer, alarmándose de antemano por los supuestos efectos devastadores.

El estrés no es una enfermedad. En sí mismo, por tanto, no requiere tratamiento.

Suponer de entrada que el adolescente no puede más que estar perturbado y desbordado es poner en duda sus capacidades para hacer frente a la situación y, por lo tanto, colocarlo en situación de inseguridad. Hacer acto de presencia, manifestando su propia tranquilidad, en la gestión, en el día a día, de una cierta dosis de estrés es, por el contrario, el mejor medio de ayudarle.

El estrés no debe inquietar más que por el hecho de sus consecuencias eventuales: insomnio severo y prolongado, incapacidad de trabajar, depresión, etc. Pero son excepcionales y, si la sola perspectiva del selectivo es suficiente para provocarlas, es evidente que este examen no es más que el revelador de dificultades subyacentes.

El verdadero problema de los padres es, en general, que ellos están más estresados que el adolescente mismo. En efecto, puede ser difícil gestionar una situación frente a la cual no son más que espectadores pasivos, sobre la que no tienen ningún control. El adolescente está activo y dispone de medios para actuar sobre los acontecimientos, como la presencia de sus amigos, que a menudo comparten la misma prueba, como la ayuda de sus profesores. A falta de poder actuar por sí mismos, muchos padres buscan tener una influencia sobre los acontecimientos: inquietarse por el adolescente y querer a todo precio aportarle una ayuda es en ese caso una respuesta a su propio estrés, y no al del adolescente…

61. Las clases de «prepa»* ¿Cómo abordarlas?

Sobrevaloradas o diabolizadas, las clases del curso preparatorio son generalmente consideradas una especificidad francesa. Modo de ascensión social, que permite a cualquier alumno que tenga las competencias acceder a las escuelas superiores y después a los puestos más importantes, no deja indiferentes ni a los padres, ni a los docentes, ni a ciertos adolescentes.

---

* N.T.: Después del bachillerato y de la Prueba de Selectividad, algunos alumnos han de realizar dos cursos de preparación y un examen para entrar en una gran escuela. Estos cursos equivalen a los dos primeros cursos de las escuelas superiores en España.

Entre idealización y degradación, conviene probablemente recolocarlas en su justo lugar. Ponen de manifiesto ante todo la capacidad de trabajo y la concentración de los que han sido admitidos, ofreciéndoles las ventajas de una formación con un método de trabajo. No son más que un instrumento que puede servir para revelar las cualidades que, por no ser forzosamente aparentes, ya eran propias del adolescente.

Lo mismo que se sobrestima su poder formador, se dramatiza sin duda sus consecuencias negativas sobre los alumnos, que se ponen enfermos de estrés por la presión que se ejercerá sobre ellos. No hay que perder de vista que esta orientación es objeto de una elección, incluso si, como toda elección importante, está envuelta en numerosos factores y presiones de todo orden. Esto no impide que esta elección corresponda a ciertos tipos de personalidad que encuentran en ella más razones de satisfacción o de interés que lo contrario, salvo que se hayan equivocado. No podemos negar que las clases preparatorias pueden precipitar la aparición de dificultades psíquicas; sin embargo, es el caso de toda confrontación con la competición.

Inútil, pues, temer las clases del curso preparatorio, pero hay que ser consciente de a qué se compromete uno. Paralelamente, corresponde al entorno desdramatizar lo que está en juego, sin desvalorizarlo, pero relativizando esta elección, que no es más que una entre otras muchas. Si ésta no es la elección que conviene, el adolescente siempre podrá cambiar; y no perderá sin embargo lo que ya ha adquirido. No es y no debe ser un drama renunciar o fracasar en la clase del curso preparatorio: los padres y los adolescentes tienen necesidad de convencerse, especialmente de esto…

62.¿Qué hacer si la facultad le da miedo?

El acceso a la facultad, que permite la superación del bachillerato, es uno de los últimos «ritos» de tránsito de la adolescencia a la edad adulta de nuestra sociedad. Debido a este componente simbólico, signo de una apertura hacia una mayor autonomía, es por lo que es importante, a pesar de ser un hecho tan común y generalizado, sobre todo a juzgar por el número de reacciones ansiosas y depresivas que este tránsito parece engendrar.

Autonomía ciertamente relativa, ya que la mayor parte de los estudiantes permanecen muy dependientes de sus padres. Pero autonomía con todo, a veces marcada por una separación física, un principio de autonomía financiera, y sobre todo el comienzo de una real independencia del pensamiento. Porque la facultad representa el acceso a modos de enseñanza, maneras de pensar, un espíritu crítico, encuentros, que operan una ruptura notable con el instituto. Las clases preparatorias son mucho menos un factor de ruptura, lo que por otro lado contribuye, a veces inconscientemente, a la elección que hacen ciertos padres y adolescentes.

Incluso el funcionamiento de la facultad supone una llamada mucho mayor a la iniciativa del estudiante, y lo deja organizarse solo, a veces demasiado, en la gestión de su trabajo. También los adolescentes más vulnerables se van a encontrar confrontados con las contradicciones propias de su edad: el miedo de estar librados a sí mismos sin otras coacciones que las que se den y sin referencias ni exigencias pedagógicas como las que se habían formulado en el instituto, de manera que aumenta la irritación, incluso el desarraigo, que provoca el hecho de percibir que esperan cosas de los adultos, atención y sostén que tienen dificultad de aceptar, en particular de sus padres.

La entrada en la facultad representa, por sí misma, la necesaria ruptura con la infancia, la apertura al mundo y sus diferencias, la salida del nido familiar, pero también la difícil confrontación con las exigencias de competencia y el miedo de cada uno a tener que hacer frente a sus insuficiencias. Deseada y temida al mismo tiempo, no hay nada de extraño en que pueda ser fuente de desestabilización.

Es importante ser consciente de ello, para no dejar al adolescente hundirse en la depresión, descorazonarse y agravar sus dificultades, creando él mismo las condiciones de su fracaso. Un adolescente en dificultades puede también intentar buscar retomar el control de la situación abandonando prematuramente los estudios para los cuales tenía, sin embargo, un potencial, por un trabajo que tiene el mérito de reasegurarle en sus posibilidades ofreciéndole resultados inmediatos. En ese caso se tratará de reasegurarle en lo que concierne a su potencial en cuestión, sin oponerse a su decisión, pero sugiriéndole que su decisión no puede estar motivada por buenas razones.

En fin, si la entrada en la facultad puede acompañarse de dificultades ligadas a la confrontación del adolescente a las realidades extrafamiliares, el fin de los estudios representa a menudo el segundo tiempo de esta confrontación. El ex-adolescente debe entonces asumir el alcance de sus elecciones profesionales y lo que representan de confrontación simbólica con sus padres. Que el joven adulto tenga más o menos éxito, poco importa: en los dos casos no puede evitar la comparación con su padre o su madre, sin hablar de sus hermanos o sus hermanas mayores.

Capítulo 6

El comportamiento

63. Mi hija está siempre cansada. ¿Qué puedo hacer para motivarla?

Las adolescentes se lamentan muy a menudo de estar cansadas. Como todos los lamentos relativos al cuerpo, éste es más una cosa de chicas que de chicos. Antes del inicio de la pubertad, los males corporales, que afectaban alrededor del 10% a las chicas y el 10% a los chicos, afectan desde ahora el 40% a las chicas, pero solamente el 10% a los chicos.

Las quejas corporales, a semejanza de los caprichos en los niños y las conductas de oposición en el adolescente, son una de las modalidades de expresión de la insatisfacción como modo de regulación de la distancia relacional con las personas investidas, en particular los padres. Por la queja, y más particularmente la insatisfacción, el niño y el adolescente expresan una parte de sus expectativas con respecto a los padres –y por tanto, su dependencia afectiva–, y por otra parte afirman su poder de escapar al dominio de los padres, ya que la queja persiste (cf. preguntas 7 y 10, pp. 30 y 47).

Lo propio de estas quejas es ser, en general, repetitivas y más o menos crónicas. Es, a menudo, el caso de la fatiga, incluso si la perspectiva de una prueba, un examen por ejemplo, puede exacerbarla.

Ciertamente, la fatiga no es siempre la expresión de un malestar o una tensión interior del adolescente. También puede estar provocada, o al menos favorecida y mantenida, por un mal hábito de vida. La insuficiencia de sueño es en repetidas ocasiones la causa, pero está a menudo ligada a factores psicológicos, causas de estrés y de ansiedad. Es también el caso de un mal reparto o mala calidad del sueño (acostarse demasiado tarde, despertarse frecuentemente, pesadillas de repetición). Comidas desequilibradas, incluso regímenes excesivos o aberrantes, trayectos fatigantes y largos, la toma excesiva de estimulantes como el café, también pueden ser factores favorecedores.

Evidentemente, la fatiga es a veces reveladora de una enfermedad. Pero su aparición es entonces brutal, duradera, asociada a otros signos y necesita lo más rápidamente posible una consulta médica. A título de ejemplo, la convalecencia de las enfermedades virales, así como algunas enfermedades endocrinas, se acompaña de una fatiga que puede durar muchos meses, incluso un año.

La fatiga habitual en la adolescencia es a la vez más discreta y más espectacular, especialmente en la manera en la que los adolescentes se lamentan –la mayor parte del tiempo en situaciones particulares: exámenes, periodos pre- y postmestruales, etc. La insatisfacción, los lamentos diversos y la morosidad más o menos crónica que la acompañan forman parte de este contexto sugestivo de una tensión psíquica y afectiva. Es más expresión de deseos contradictorios del adolescente y de paradojas propias de esta edad, que de una causa precisa.

Según los temperamentos, no es raro que esta fatiga evolucione en el curso de la jornada. Así, ciertas personalidades, ansiosas, dubitativas, muy escrupulosas, que tienen tendencia a tergiversar siempre y a quedarse perplejos cuando se trata de tomar una decisión, son fácilmente víctimas de una fatiga matinal que se difumina durante la jornada, pero también, paradójicamente, con dificultades al ir a acostarse. Ciertas manifestaciones psicosomáticas como la espasmofilia pueden estar asociadas a este tipo de comportamiento…

¿Cómo se puede responder a esta fatiga? Por supuesto no rechazando tomarla en consideración. Y todavía menos dramatizándola. El mejor remedio consiste en ayudar discretamente al adolescente a modificar algunos de sus hábitos de vida, a conceder una atención acrecentada a sus centros de interés, sus penas o sus dificultades. Eso no excluye, si las quejas perduran, recurrir a la opinión de un médico, incluso a la ayuda de algunos medicamentos ligeros. Sin embargo, una vez eliminadas las afecciones, especialmente corporales, sería nefasto medicalizar a toda costa este tipo de comportamientos con consultas repetidas. También es preferible desplazar la necesidad de atención que pone de manifiesto el adolescente hacia aspectos más positivos y verbalizados, que podrán ser desarrollados en una psicoterapia.

64. ¿Por qué pone mala cara?

Poner mala cara es el signo distintivo por excelencia de la entrada en la adolescencia. Resume por sí mismo la paradoja del adolescente situado entre la necesidad de solicitar el entorno familiar y la voluntad de oponerse y abstraerse de él.

Poner mala cara es un primer compromiso posible entre estas dos aspiraciones vividas como perfectamente contradictorias. Contradicción que desgarra al adolescente, lo paraliza tanto en su pensamiento como en su cuerpo, y le impone esa actitud que padece más que controla.

Poner mala cara se ve y tiene repercusiones inmediatas en la atmósfera familiar. Pero, para el adolescente, la actitud de repliegue sobre sí mismo a veces simplemente puede significar que desea que lo dejen tranquilo. Por eso podrá lamentar de muy buena fe el mal ambiente que reina en el seno de la célula familiar, sin verdaderamente comprender las causas… Estar en su contra sería ser un intruso en su espacio privado, molestarlo, incluso violentarlo, y más aún cuando tiene la impresión de no pedir nada a los demás.

Encontramos en este tipo de actitud las dos angustias entre las cuales oscila constantemente el adolescente: la angustia de pasar desapercibido y de sentirse abandonado y la angustia de vivir como una intrusión persecutoria cualquier interés que le sea manifestado. Como toda paradoja, es una falsa contradicción: es aceptando alimentarse del interés de los demás como el adolescente tendrá menos necesidad y se sentirá más libre con respecto a ellos.

Se pone mala cara a aquellos a quienes se ama o con los que la expectativa afectiva es importante. Y la tentación de poner mala cara será tanto mayor cuanto más fuerte sea la proximidad y la dependencia afectiva entre los dos protagonistas. El adolescente que adopta este tipo de comportamiento, preferentemente hacia su madre, lo adoptará más difícilmente con respecto a su padre, a sus abuelos e incluso hacia los padres de un amigo. Lo que acrecienta el riesgo de este género de respuesta es la calidad de la proximidad y de la complicidad del vínculo, así como la disponibilidad de la persona que la padece (cf. pregunta 7, p. 30).

El enamoramiento es un buen ejemplo por lo que incita y revela la dependencia afectiva recíproca y la delegación en el otro de una parte de sí mismo, como si ese otro hubiera llegado a ser el representante de lo que desearíamos ser y tener de mejor. Pero el precio que hay que pagar es el riesgo de una desposesión de sí mismo en caso de conflicto y de separación. Es decir, de una dependencia afectiva que vuelve al adolescente particularmente vulnerable.

Un ejemplo: se organiza una salida en común, preparada y esperada con tanta más impaciencia cuanto que señala un acontecimiento importante tal como el aniversario de un encuentro. Ahora bien, uno de los dos se retrasa. La violencia de la decepción es proporcional a la intensidad de la espera. Cuanto más importante es el retraso, en mayor medida el placer de la velada se trasforma en desagrado. Hasta el punto de que al cabo de un cierto tiempo, el que espera no sabe ya si tiene todavía ganas de salir. Cuando el otro llega por fin, es demasiado tarde y encuentra a su pareja poniendo mala cara y realmente sin más ganas de esta velada. La decepción ha destruido las raíces del deseo a causa de la intensidad de las ganas. Si el que se ha retrasado se lo toma en cuenta y se retira, es probablemente el peor error que pueda cometer. Si, por el contrario, invirtiendo la situación, se coloca él mismo en una posición idéntica de pasividad, de espera, de demanda, la situación tiene posibilidades de arreglarse.

Este ejemplo nos parece que es significativo de lo que sucede al adolescente y de la extraordinaria capacidad de los adolescentes para invertir una situación en su contraria, en función de la intensidad de las expectativas, sobre todo si éstas conciernen a un adulto muy investido como puede ser un padre. Para responder, es preciso saber violentar al adolescente provocando el cambio y el encuentro que pretende rechazar, pero que espera, sin ser consciente. Es preciso hacerlo suficientemente pronto antes de que el aislamiento del adolescente no lo haya llevado a organizarse en el rechazo de sus padres y, a veces incluso, del conjunto de los adultos.

65. ¿Cuáles son los riesgos para la salud si fuma cannabis?

Es una de las grandes inquietudes de los padres de hoy en día. Más de un adolescente de cada dos, en un momento dado de su adolescencia, habrá fumado cannabis. Y mejor que lo haga lo más tarde posible, como su primer «flirt» con el cigarrillo.

Sin embargo, fumar ocasionalmente cannabis no es un drama y no es preciso trasformarlo en tragedia. Cierto, el cannabis tiene efectos euforizantes próximos a los del alcohol, pero si disminuye, como este último, las capacidades de concentración y los reflejos, no provoca, como éste, reacciones impulsivas y agresivas. En realidad, todo depende de la cantidad de cannabis que ha sido consumida y de la frecuencia de este consumo. En fin, la dosificación en principio activo puede variar de 1 a 10 según las variedades y las mezclas efectuadas.

El peligro es, evidentemente, que el consumo del adolescente se haga regular y aumente. A los efectos euforizantes del cannabis se añaden entonces una ruptura progresiva con la realidad, dificultades de concentración y de aprendizaje y una pérdida de motivación. El adolescente se aleja de sus centros de interés habituales, se desocializa y manifiesta una indiferencia inquietante que él justifica de manera más o menos coherente. En los adolescentes vulnerables, pueden aparecer además trastornos psíquicos: retraimiento afectivo y relacional, confusión del pensamiento, perplejidad y, a veces, ideas delirantes. Una evolución hacia la psicosis es igualmente posible y no debe ser desestimada.

Por otro lado, hay que saber que la sensibilidad al cannabis varía notablemente de un individuo a otro, y esto por razones biológicas pero también contextuales (vulnerabilidad de la personalidad, contexto psicológico, familiar, situacional o del entorno desfavorable). La vulnerabilidad del adolescente facilitará su dependencia al producto y podrá hacer de una toma ocasional una experiencia iniciadora reveladora de otro modo de vida posible. El contexto relacional y amical tiene un impacto importante, especialmente en los fenómenos de entrenamiento.

Más vale, pues, prevenir que curar. Y la mejor prevención es la confianza que deposita el adolescente en su entorno y la calidad del sentimiento de seguridad afectiva que lo envuelve. En efecto, deben permitirle gestionar los riesgos inherentes a toda apertura al mundo. Recíprocamente, los adultos deben tener confianza en las capacidades del adolescente para hacerle frente, pero esta confianza no excluye la vigilancia; no deben dudar de informar al adolescente de los riesgos a los que se expone, incluso intervenir si juzgan que el adolescente parte a la deriva. No es sino en un clima de confianza como los adolescentes se mostrarán receptivos al discurso de los padres sobre los riesgos ligados al hecho de fumar cannabis. Cuando un adolescente comienza a consumir, es mejor hablarle e intentar limitar el consumo de este producto ilícito, tanto en lo que concierne a su frecuencia como a los lugares en los que el adolescente fuma y al dinero que se gasta. Cuando el hecho de fumar cannabis tiene las consecuencias negativas ya evocadas y coloca al adolescente en una situación de fracaso en un campo o en otro, especialmente en el campo escolar, no hay que dudar en solicitar una ayuda exterior y hacer intervenir un tercero para poner límites e intentar encontrar una solución.

Por tanto, no es útil observar en el adolescente los signos físicos (pupilas dilatadas, olores, ojos rojos, etc.) que manifestarían un consumo real de cannabis. Es preferible intentar mantener un contacto de calidad que favorezca los intercambios y estar muy atentos a cualquier degradación de sus capacidades.

No conduce a nada intentar obtener una abstinencia total e inmediata. Es mejor ayudar al adolescente a restaurar un modo de vida en el que vuelva a encontrar referencias y una eficiencia normal. No hay que dejar que se instale en un consumo regular e importante, que sería la causa de una degradación de la calidad de su presencia con los otros y de sus aptitudes. Esta degradación es suficientemente preocupante como para justificar que los padres exijan al adolescente que cese su consumo y reorganice su modo de vida antes de que se agrave la situación y lo vuelva impermeable a sus reacciones y a sus demandas.

66. ¿Si ha empezado a fumar, se enganchará?

¿Ha fumado su primer cigarrillo? ¡Qué cosa más banal! Y sin embargo, es un gesto que puede tener graves consecuencias, sobre todo es un hecho en adolescentes cada vez más jóvenes, y cada vez más en las chicas. Pero, a pesar de ello, no hay que dramatizar…

Sin embargo, hay que saber que cuanto más pronto se empieza a fumar, los riesgos de complicación somática graves –tales como el cáncer de pulmón– son más importantes. Por otra parte, el indicador más significativo de los riesgos de toxicomanía y de dependencia es empezar a fumar antes de la edad de 12 años, y sobre todo si el consumo es importante. Sin embargo, en lo que concierne al riesgo de toxicomanía, es difícil saber si está verdaderamente favorecido por fumar o si fumar es la señal de una vulnerabilidad psicológica, incluso biológica, a las conductas de toxicomanía.

A pesar de todo, no sirve para nada intentar ejercer una prevención furiosa. Ya que no es agradable que los padres den a sus hijos el sentimiento de que buscan controlar a cualquier precio sus comportamientos, ni que quieran y puedan dominar su futuro. No es deseable que los hijos se hagan mayores envueltos en una ansiedad permanente de los padres.

La mejor prevención reside en la creación de un clima de confianza recíproca, que ponga de manifiesto que los padres estiman que el adolescente posee los recursos personales suficientes para gestionar lo mejor posible los riesgos inherentes a la vida. Pero la confianza no quiere decir despreocupación y libertad total. Supone haber puesto de antemano límites y prohibiciones que hayan sido explicadas al niño y sobre todo que sean evolutivas: el adolescente debe poder tomar él mismo el relevo de la vigilancia de los padres. Reajustes y retornos hacia atrás son posibles; es recomendable considerarlos sin drama, como una ayuda temporal de los padres a una dificultad y como un desbordamiento pasajero del adolescente. No es raro, en ese caso, que el adolescente disminuya su consumo de cigarrillos, incluso que lo abandone totalmente. El adolescente renunciará, igual que con los demás comportamientos provocadores del principio de la adolescencia, que se atenúan cuando se siente más seguro de sí y llega a apropiarse de un territorio y de un espacio que le sean propios.

67. Se ha emborrachado por primera vez. ¿Lo volverá a hacer?

Las borracheras colectivas compartidas entre jóvenes, e incluso entre muy jóvenes preadolescentes, parecen tomar hoy en día un valor de rito iniciático. Sin embargo, son un mal rito, que algunos corren el riesgo de pagar caro, ya que, en lugar de ayudarles a integrarse en la sociedad adulta, este tipo de comportamiento puede, por el contrario, marginarlos. El peligro es mayor en la medida que el adolescente es más vulnerable, psíquica pero también biológicamente, como es el caso de todas las drogas con efectos psicotrópicos.

Para algunos, el encuentro con la borrachera tiene un papel revelador, y les abre las puertas a un mundo nuevo por la intensidad de los fenómenos psíquicos que provoca. Estos adolescentes tendrán dificultades en abandonar una fuente de excitación que borra, de un solo golpe, todas las emociones y pensamientos depresivos, los desinhibe y les da un sentimiento de libertad y de relación fusional con todo lo que les falta de ordinario en la vida cotidiana, y a lo cual tienen repentinamente la impresión de tener mágicamente acceso. Fusión con un mundo ideal, olvido de sus penas y de sus insuficiencias, exaltación y liberación de los frenos y dificultades habituales… todo esto se funde en una mezcla que les parece explosiva y de la cual puede ser muy rápidamente difícil de prescindir. Añadamos a esto que los adolescentes y jóvenes adultos tienen tendencia a hacer caso omiso de los riesgos excesivos que este estado provoca, especialmente en coche o en moto…

Porque el alcohol es la principal fuente de accidentes en la adolescencia. Como con los cigarrillos, la toxicomanía y los trastornos del comportamiento en general, la prevención debe referirse esencialmente a la inseguridad afectiva, al malestar y al estado depresivo del adolescente. Es fácil ver cuántas de estas borracheras, más o menos ligadas a una vida de grupo o de banda, son un medio para encontrar en el exterior lo que ya no es posible o no ha sido posible encontrar en el seno de la familia. A saber, una comunicación vivida como intensa y un sentimiento de fuerza colectiva del cual el adolescente tiene tanta necesidad cuanto más solo y expuesto se encuentra en este mundo extrafamiliar en el que está obligado a hacer sus experiencias y mostrar de lo que es capaz…

Es decir, la importancia de encontrar en los adultos, padres y/o adultos que los relevan, numerosas ocasiones de interés y de placeres compartidos que sean suficientemente motivadores para el adolescente pero que permanezcan tolerables.

Sin embargo, hay que tener cuidado de no dramatizar. Una primera borrachera no es una catástrofe. No es más que el signo de la necesidad del adolescente de encontrar apoyo en los demás. A los adultos, pues, les corresponde estar atentos y ayudar al adolescente a volver a encontrar apoyos que lo valoren y que sean benéficos. El ejemplo de los adultos que le rodean, y en particular de su manera de beber alcohol, siempre tiene igualmente mucho impacto.

68. Mi hija se ha fugado. ¿Cómo reanudar el diálogo con ella?

La fuga es la mejor ilustración de la necesidad que tienen los adolescentes de recurrir al espacio para tomar una nueva distancia con sus padres. Distancia que no llegan a crear por sus propios medios psíquicos. Esta necesidad traduce el enmarañamiento de los estados afectivos de unos y otros en el seno del círculo familiar, y la dificultad para cada uno de determinar los límites de un territorio que le sea propio.

Sin embargo, la fuga es una manera muy ilusoria de escapar a las tensiones familiares. Éstas pueden ser debidas a los conflictos de los padres, a comportamientos inadecuados o violentos, a actitudes sexuales ambiguas, incluso a abusos; pero también a la importancia de las expectativas de los adolescentes con respecto a uno o a los dos padres. Expectativas que viven como una violencia que se les hace y como una verdadera intrusión.

Que el adolescente responda con la fuga a una presión o a una carencia de comunicación en el seno de su familia es un comportamiento que no hay que tomarse a la ligera. Es, en efecto, un indicador real de riesgos ligados al suicidio: la fuga forma parte de los antecedentes de un 30% de adolescentes entre 15-25 años que tienen en su activo una o varias tentativas de suicidio.

Pero, felizmente, la fuga, en casi todos los casos, no tiene graves consecuencias inmediatas. La mayor parte del tiempo, los jóvenes que se fugan encuentran refugio en casa de gente próxima, y por un tiempo limitado. En lo que concierne a la reacción de los padres, puede ser saludable para el adolescente que estos últimos muestren sus emociones: inquietudes, tristeza, pero también cólera. Sin embargo, hay que saber que la fuga requiere de antemano y antes que nada una respuesta a lo que expresa la mayoría de las veces: una dificultad psíquica mayor, imposible de contener por los medios normales de expresión. Esta dificultad siempre necesita una evaluación psicológica y un seguimiento que debe implicar tanto a los padres como al adolescente.

Lo que no puede ser contenido por el círculo familiar y necesariamente debe desbordarse, como pone de manifiesto la fuga, requiere una respuesta en la que intervengan especialistas exteriores. Éstos implicarán a la familia completa en la respuesta que se debe dar a la fuga, en la medida en que este acto manifiesta una cierta dificultad del adolescente para elaborar y tratar los conflictos, no sólo en su espacio psíquico interno, sino también en el seno de su familia.

69. ¿Es bueno que juegue a los videojuegos?

Los adolescentes se sirven en sus juegos, como en el resto de sus actividades, de los medios de expresión de su época. También utilizan y utilizarán cada vez más los videojuegos, así como los juegos ligados a las nuevas tecnologías –¡y mucho mejor! Mucho mejor porque poco a poco se familiarizarán con estas nuevas tecnologías y adquirirán una cierta destreza, así como una apertura de espíritu.

Estos juegos no llegan a ser verdaderamente preocupantes más que cuando son utilizados en exceso. Exceso que exacerbará algunas de sus particularidades, como su carácter solitario y virtual. Ahora bien, soledad y virtualidad corren el riesgo de conjugar sus efectos para aislar al adolescente y apartarlo de la realidad. Algunos se encierran así en un mundo cada vez más irreal, propicio a la eclosión de un sentimiento de omnipotencia. Huyen de los contactos humanos, fuente de frustración, y viven procurándose situaciones que no son ni puramente imaginarias –como los sueños inspirados en lecturas, por ejemplo– ni realmente concretas. Evidentemente, los adolescentes que pierden el sentido de la realidad tienen, en general, algunas predisposiciones. Por el contrario, otros adolescentes, que presentan a menudo trastornos en la infancia e importantes dificultades de contacto con la realidad, paradójicamente encontrarán un medio para salir de su aislamiento aprendiendo a jugar de una manera tolerable para ellos, es decir, a la vez perfectamente controlable y considerablemente distanciados de las personas reales que les dan miedo.

Para entenderlo: corresponde al entorno convertir este medio de expresión en un instrumento para hacer más sociables progresivamente a los jóvenes y abrirles al intercambio, por ejemplo discutiendo con ellos de los juegos que prefieren o incluso participando en ellos.

Prohibir los videojuegos no es la vía para ayudar a los adolescentes a no encerrarse. Es más bien sacarlos de su aislamiento, es decir, compartir su interés para abrirles poco a poco a otras formas de expresión, y proponerles otras experiencias generadoras de placer.

70. Mira la tele. ¿Es la mejor distracción en la adolescencia?

Se hace verdaderamente difícil para un adolescente no pasar el tiempo ante la televisión, en particular cuando sus padres están ausentes. Es, en efecto, un modo de engancharse a una presencia adulta, con la ventaja de poder hacerla aparecer, desaparecer y cambiar a su antojo. En suma, una presencia siempre accesible potencialmente a disposición, y sobre la cual el adolescente tiene todo el poder: ¡el sueño!

Pero el sueño, aunque sea útil, necesita aliarse con la realidad. Porque, si permanecemos en el sueño, no hay aprendizaje. Y sin aprendizaje, no hay adquisiciones y, en consecuencia, no hay autonomía posible. El adolescente no podrá, entonces, más que sentirse desprovisto de valor y de confianza en sí mismo, pero no necesariamente vacío de todo. Porque esta ausencia de adquisiciones exacerba las ganas de llenarse; ahora bien, es posible cebarse de imágenes

Respuestas a 100 preguntas sobre la adolescencia

como nos cebamos de otros substitutos tales como la comida, los cigarrillos u otras drogas.

Por tanto, la televisión es un incomparable medio de aprendizaje y de apertura sobre el mundo. Como los libros, pero diferente, porque incita más a una cierta forma de pasividad: solamente la sucesión de imágenes fascina y alimenta a quien las mira. Conviene, pues, hacer un uso adecuado de ella. Para esto, el adolescente no sabrá ponerse límites y referentes; convendrá enseñarle a seleccionar lo que ve, a limitar el tiempo que pasa ante la televisión, a confrontar lo que ve con otras fuentes de información.

Dejarse cautivar por la televisión es una fuga, incluso una evasión, que corre el riesgo de alejar al adolescente de los verdaderos envites de su edad y volverlo así más vulnerable a la depresión. Corresponde, pues, a los padres enseñar el buen uso a sus hijos –y eso desde la infancia– con el fin de que cuando sean adolescentes no sean esclavos. Para eso, la pequeña pantalla no debe estar destinada a un uso privado, una práctica solitaria, sino que debe ser un medio de intercambio con los adultos.

71. Navega por Internet

Internet representa por el momento la cumbre de los medios de comunicación modernos. Como el teléfono, los videojuegos, la televisión o los juegos de rol, puede facilitar la comunicación –teóricamente es su papel– o ser al mismo tiempo un medio para el adolescente de encerrarse en un mundo virtual. Es una forma de comunicación sobre la cual el adolescente puede ejercer un control total. Dispone a la vez de potencialidades casi infinitas y permite prescindir de ellas en cualquier momento, sin tener que dar cuentas a nadie. Ya no se tiene que preocupar por los efectos de su discurso o del contenido de su comunicación sobre los demás. Es el único maestro a bordo, sin ningún adulto que pueda interponerse.

Evidentemente esta omnipotencia potencial es lo que constituye el factor de riesgo esencial. Es preciso, pues, evitar que el adolescente llegue a encerrarse en esta actividad y que se trasforme en una pseudo-comunicación. Pues, para que Internet pueda guardar su extraordinario poder de apertura sobre el mundo sin perjudicar al adolescente, es preferible que permanezca como un medio de intercambio y de comunicación con su entorno. Más que prohibir o criticar su uso, es mejor que los adultos lo hagan objeto de interés compartido, al menos interesándose en lo que dice el adolescente y en el placer que obtiene, o mejor, pidiendo al adolescente que los inicie en esta nueva tecnología si no saben cómo funciona Internet.

Esto no debe impedir a los padres velar para que el uso de este instrumento esté regulado y restringirlo en función de la edad y de la madurez del adolescente. Existen ahora medios, ciertamente siempre relativos pero a pesar de todo eficaces, de prohibir el acceso a ciertos sitios web, y es útil que los padres se informen. Es interesante ver cuánto puede Internet permitir a ciertos niños que tienen grandes dificultades para comunicarse encontrar un nuevo medio de comunicación tolerable por ellos, porque justamente es controlable, sin vínculos emocionales ni físicos con el interlocutor. Posiblemente sea un progreso para ellos. Para este tipo de adolescentes, hay que aceptar el uso, incluso excesivo, esperando que puedan llegar a ser muy eficientes, lo que, en un segundo tiempo, llegará a ser posiblemente un éxito, que les permitirá insertarse mejor en la vida adulta.

Lo que podría no parecer deseable para un adolescente que tiene los medios de establecer con los otros una comunicación llamada normal, puede llegar a ser una suerte para quienes sufren en este plano un handicap. Esto no excluye por supuesto, incluso en este último caso, que los adultos no deban hacer un esfuerzo para inmiscuirse progresivamente en un vínculo que puede ser demasiado exclusivo con la máquina.

72. ¿Los juegos de rol pueden ser peligrosos?

El hecho de encerrarse en un comportamiento es siempre peligroso, sea cual sea la edad. Esto es así en el juego de rol, tanto más cuanto que corresponde a tentaciones por las cuales el niño ha estado muy atraído: en particular, la de imaginar historias que escenifican sus deseos ocultos, vividos como prohibiciones. Lo imaginario es, para el ser humano, una válvula que le permite descargar sus emociones, pero también dotarse a sí mismo de una representación de sus deseos, que sin esto podrían llegar a ser aplastantes y peligrosos. Es una manera de familiarizarse con ellos, de domesticarlos y de integrarlos en nuestra vida.

Sin embargo, en lugar de ser un instrumento de adaptación, el juego puede cerrarse sobre sí mismo y llegar a ser otro mundo sin vínculos con la realidad cotidiana. Cuanto más insatisfactoria sea ésta, generadora de decepción y de angustia, más grande será la tentación de refugiarse en ese otro mundo, el mundo de un imaginario que no conoce límites. Y será más irresistible para el adolescente, cuanto más arrastrado sea en su repliegue por los adultos, que él cree que le guían, y/o por compañeros, dobles que lo reaseguran. Es lo propio de toda desviación de tipo sectario.

Cierto, los juegos de rol no relevan plenamente esto último, pero se aproximan. Su fraseología pomposa, sus referencias al pasado, el hecho de que hayan sido construidos y ordenados por los adultos que los han creado facilita esta deriva. En fin, es una actividad de iniciados y una actividad de grupo que engendra poderosos efectos de entrenamiento.

Ciertos adolescentes que se han dejado arrastrar han visto evolucionar su comportamiento hacia un estado psicótico, incluso a veces suicida. Esta evolución, sin embargo, es la excepción y se da en jóvenes que sufren ya dificultades de orden psicopatológico. Sin embargo, entregarse a un juego de rol ha podido contribuir a agravar estas dificultades, y sobre todo a dar la ocasión a estos adolescentes de eludir los cuidados que les habrían sido necesarios.

Mientras que otros adolescentes, sin alcanzar estos extremos, se han dejado captar, coger en la trampa, y progresivamente han perdido todo interés por la vida ordinaria, ya sea familiar, escolar o amical. Tal comportamiento debe inquietar a los padres cuanto antes, es decir, antes de que el adolescente se haya alejado demasiado de los suyos y de otras relaciones habituales. Pero no deben reaccionar necesariamente con brutalidad. Al contrario, deben reintroducir el juego de rol en los intercambios cotidianos para hablar de él, para, posiblemente, conocerlo mejor, sin aislarlo de los otros intereses posibles del adolescente como si se tratara de un mundo aparte, inefable, que sólo los iniciados pueden comprender.

73. Quiere tatuarse; quiere un *piercing*. ¿Hay que aceptarlo?

Tatuajes y *piercings* no son más que una de las numerosas modalidades de que dispone el adolescente para insertar su propia marca sobre su cuerpo, manifestar su diferencia y desmarcarse de los adultos.

Para comprender mejor el sentido que tiene, hay que decir algunas palabras sobre el lugar del cuerpo en la adolescencia. Hemos visto que son los cambios corporales de la pubertad los que marcan la entrada en la adolescencia. Estas transformaciones no son ni decididas, ni elegidas por el adolescente, como no elige su sexo ni su apariencia física. Frente a esta metamorfosis física, el adolescente tiene la impresión de que su cuerpo le traiciona en lugar de protegerle y de que revela emociones que hubiera deseado mantener ocultas, cuando enrojece a pesar suyo, por ejemplo. Entre los mas vulnerables, el cuerpo es vivido como un cuerpo extraño que habrá que reapropiarse (cf. pregunta 10, p. 47).

Si no se elige el cuerpo, se puede, por el contrario, elegir la manera de vestirlo y de presentarlo. Las maneras de vestirse, los modales, el peinado y las marcas corporales se convertirán para el adolescente en los medios privilegiados de imprimir su marca personal. En esta relación con el cuerpo encontramos las reglas que rigen totalmente el comportamiento adolescente: cuanto más insatisfecho esté el adolescente de sí mismo en general y de su cuerpo en particular, más fuerte será la necesidad de ser visto y observado, y el medio elegido consistirá más en ejercer una violencia con respecto al cuerpo. Las manifestaciones más extremas de esta transformación voluntaria parecen, en efecto, no buscar el embellecimiento, estar más del lado del rechazo del cuerpo que de la ternura y sustituir la provocación por la búsqueda de la mirada admirativa de los demás.

Sin ser las más violentas de esas manifestaciones, tatuajes y *piercings* representan una verdadera inscripción en el cuerpo, como la que integraban muchos de los ritos iniciáticos. Encontramos la necesidad de marcar su territorio, de afirmar su autonomía, afirmación que no puede hacerse más que al precio de un cierto dolor (aunque sea relativo) que probará la capacidad del sujeto para soportar sufrimientos y dificultades. El adolescente tiene igualmente necesidad, por este «marcaje», de asegurarse sus límites y de conjurar las expectativas que tiene de los demás (ser visto, mirado, tocado, tomado en brazos, etc.). Este contacto, demasiado deseado para ser aceptable, se lo procurará a sí mismo a través de las figuras del tatuaje y más aún por el *piercing*, que le recuerda permanentemente que dispone de un contacto posible y enteramente controlable con su propio cuerpo. Esto es evidentemente más flagrante en lo que concierne a ciertas formas de *piercing* como los que se sitúan en la punta de la lengua. En cuanto a los anillos, pueden evocar un deseo de ser cogido, sostenido, incluso atado. Pero, ¿a quién? Falto de respuesta, el adolescente pone en escena este deseo, pero sólo para él, intentando evitar un posible encuentro con el otro, o incluso como imagen de alguien que lleva como él signos idénticos de reconocimiento. Al mismo tiempo, afirma su diferencia con el mundo de los padres, el de los adultos establecidos.

Necesidad y huida de un contacto demasiado esperado, y esperado de manera demasiado ambivalente para ser tolerable, *piercings* y tatuajes son el signo con el que el adolescente pide encontrar un vínculo que sea para él más aceptable con los que él está más próximo. Es preciso, pues, responder. No prestar atención, o banalizarlo demasiado, es ignorar la necesidad subyacente que ha motivado el gesto del adolescente y favorecer una posible escalada.

Esta respuesta puede inspirarse en las reglas comúnmente aplicadas a las reacciones que inducen este tipo de actitudes adolescentes: dejarse interpelar; intentar desplazar la necesidad del adolescente de expresarse en actos a través del cuerpo, a un intercambio verbal más general que trate sobre él, sobre la imagen que tiene de sí mismo y sobre la que se imagina que los otros tienen de él; pero también poner límites, incluso exigencias que tengan en cuenta el estilo de la familia, la edad del adolescente y la naturaleza de lo que pide; en fin, comprender igualmente que esto puede responder simplemente a un efecto de moda que edulcora su significación.

Para la amplia mayoría de los adolescentes, tatuajes y *piercings* no son más que el medio temporal de afirmar su diferencia y una etapa pasajera en su evolución. En este sentido, les ayuda en cierto modo a encontrarse a sí mismos. Es el caso si no representa una provocación demasiado importante con relación a las normas de su medio, cuando los tatuajes o los *piercings* que hayan adoptado sean moderados y estos gestos se inscriban en un fenómeno de moda y de grupo.

Por tanto, la mayoría de las veces, no hay que dramatizar cuando él o ella reclaman un *piercing* o un tatuaje; pero no hay ninguna razón, para una familia que no tiene costumbre de este tipo de expresión, de actuar como si no se viera lo que está hecho para ser visto y para asombrar e incluso chocar.

74. ¿Qué significa que se gaste todo su dinero de bolsillo en ropa?

Un frenesí de compras es el signo de una necesidad de compensar por la apariencia exterior lo que debe ser percibido en el/la adolescente como el sentimiento de una insuficiencia de valor y una falta de confianza en sí mismo. Pero no siempre es fácil determinar lo que puede ser juzgado como excesivo. Las normas familiares son muy variables y, antes de establecerlas de manera autoritaria y definitiva, es siempre deseable que los padres miren a su alrededor y las comparen con las de las familias de los compañeros de sus hijos. No para abandonar toda referencia a sus valores personales y conformarse con la media, sino para evitar adoptar posiciones demasiado rígidas y demasiado absolutas. Una reacción demasiado desfasada no haría más que confirmar al adolescente en la legitimidad de sus elecciones y restar toda credibilidad a las objeciones de los padres.

Como sucede a menudo, la edad es un factor importante. Porque cuando el adolescente se aproxima a su mayoría de edad es el momento de asumir sus elecciones. Una de las maneras de permitírselo es dejarle gestionar su dinero de bolsillo, rechazando, sean cuales sean sus gastos, darle más de lo que estaba convenido.

En todos los casos, nada impide apreciar que el/la adolescente busca darse valor, pero también ayudarle a convencerse de que su valor y su capacidad de gustar no son forzosamente proporcionales al dinero gastado ni tributarios de accesorios exteriores tales como la ropa. Podemos intentar limitar estas compras sin por eso culpabilizar su gestión, lo que no dejaríamos de hacer si se le remarcara, por ejemplo, que sería mejor gastar su dinero de otro modo o que es el signo de una frivolidad y de un deseo de gustar condenables. Nos parece importante señalar este punto porque esta clase de comportamiento a menudo es lo que hace una madre que no se cuida, como si hubiese renunciado a intentar gustar. Todo deseo de gustar es, en ese caso, fácilmente sentido como culpable por la adolescente, sobre todo si su padre se muestra sensible. Es frecuente que busque escapar a esta culpabilidad con una actitud no sólo opuesta a la de la madre sino exagerada, provocando inconscientemente la crítica. Ésta la confirma entonces a la vez en su sentimiento de culpabilidad y en la justificación de su rebeldía contra lo que vive como una injusticia. De esa manera se instaura un círculo vicioso que será difícil de romper.

75. Sueña con la cirugía estética. ¿Hay que animarla en esa vía?

El cuerpo, por los cambios específicos de los que es objeto en esta edad, cristaliza una parte importante de las angustias de la adolescencia. Una de las expresiones privilegiadas de este fenómeno es la inquietud sobre ciertas partes del cuerpo en particular. Es lo que llamamos, en psicopatología, las dismorfofobias: el miedo de que algunas formas de su cuerpo sean anormales, monstruosas, o simplemente demasiado desagradables para ser soportables. La adolescente se detesta y piensa que su vida estará afectada. De ahí su aspiración a buscar recursos en la cirugía estética (cf. preguntas 7, 10 y 73, pp. 30, 47 y 176).

Estos miedos están a menudo focalizados en zonas precisas: la nariz, las orejas, los senos, etc. Pero casi todas las partes del cuerpo pueden servir de puntos de fijación de estas inquietudes. Estas preocupaciones pueden tomar un carácter invasor y obsesionante. Es posible que se apoyen en una realidad más o menos fundada, pero no alcanzan tal amplitud más que por la función de cristalización de inquietudes más generales. Estas inquietudes son el reflejo de la distancia entre la mala imagen que la adolescente tiene de sí misma y la importancia de sus aspiraciones a ser la primera.

¿Hay que recurrir a la cirugía estética? ¿Cuándo? Estamos de acuerdo generalmente en pensar que hay que tomarse tiempo y no precipitarse en una intervención cuyos efectos y secuelas no son siempre conformes a las esperanzas que había suscitado. Esto es más necesario si las preocupaciones parecen más exageradas, son más obsesionantes y se acompañan de manifestaciones psicopatológicas: depresión, delirio de persecución, preocupaciones fuera de la realidad… En ese caso, parece siempre deseable contemplar, antes de la intervención, una psicoterapia, aunque ésta no sea siempre deseada. La adolescente, en efecto, se aferra a su demanda y vive muy mal cualquier tentativa de ayuda, que percibe como una voluntad de hacerle cambiar de parecer.

Pero este plazo de reflexión se puede también justificar por la falta de conclusión del crecimiento y de las trasformaciones corporales que todavía es susceptible de inducir.

Es preciso señalar, en último término, que las chicas no son las únicas en desear recurrir a la cirugía estética. Los chicos lo piden igualmente, posiblemente con más frecuencia que en otros tiempos. Su deseo de llamar la atención aparece a menudo menos justificado, sin duda en razón de prejuicios sociales que quieren que los chicos sean menos sensibles que las chicas a su apariencia, la cual se supone que está menos en juego en su capacidad de gustar.

76. ¿Qué hacer si se burlan de él en el instituto?

Es una queja cada vez más habitual el hecho de ser víctima de burlas, seguramente porque los niños son más sensibles, los padres más reactivos, pero también porque los jóvenes son más crueles unos con otros o al menos expresan su crueldad más fácilmente y más directamente que en otras épocas.

Muchos niños y adolescentes, si no todos, son un día u otro el objeto de burlas. Pero algunos son más sensibles, y esta sensibilidad desgraciadamente puede conducirles a reaccionar de una manera que excite las burlas de sus compañeros. Desde ese momento se crea un círculo vicioso que se refuerza a sí mismo.

¿Por qué un adolescente puede reaccionar de esa manera? Porque estas burlas le confirman en su tendencia a desvalorizarse a sí mismo y/o al sentimiento de que el mundo exterior (los demás) es hostil y que no se puede confiar en él. Este sentimiento es habitualmente confirmado y a veces incluso provocado por un cierto tipo de clima familiar o de actitud de los padres que no hacen más que reforzar la convicción del adolescente.

La solución raramente es cambiar al adolescente de centro, salvo casos particulares, ya que las burlas se reproducirán en otra parte. Encontrarla hace necesario, a menudo, recurrir a una consulta especializada, porque esta situación puede ser el síntoma de un cierto número de dificultades psicopatológicas, que van desde el trastorno de la personalidad de tipo sensitivo, que afecta a los adolescentes que buscan una relación fuerte, búsqueda susceptible de volverse en persecución, en caso de decepción, hasta la esquizofrenia debutante, pasando por graves trastornos depresivos.

La mejor prevención viene de los padres: deben evitar confirmar al niño, después adolescente, en esa vivencia dramatizándola y afianzándosela. Es totalmente posible a la vez estar atentos e incluso ser comprensivos con él e invitarle a distanciarse, reasegurándole en sus capacidades para encontrar en él los recursos necesarios para superar esta situación.

Es preciso ser consciente de que la mayoría de estas quejas se formulan por adolescentes con grandes dificultades, muy dependientes afectivamente de sus padres. Tienen por función esencial reasegurar al adolescente y a sus padres, de que estos continúan siendo las personas más importantes de la vida de su hijo; ya que ni los compañeros, ni los docentes, que pertenecen a un mundo juzgado hostil por el adolescente, estarán en condiciones de suscitar un interés que comprometa la relación que mantiene con sus padres.

77. Miente. ¿Hay que hacer borrón y cuenta nueva?

¿A partir de cuándo se puede hablar de mentira? Hay una gran diferencia entre un adolescente que arregla un poco la realidad para obtener lo que quiere o evitar una reacción de los padres, que por otro lado es exagerada a menudo, y un adolescente que interpone la falsificación de una parte más o menos importante de la realidad entre todo su entorno o una parte y él. Es preciso distinguir bien la mentira ocasional de la mentira como modo de existencia.

Cuando llega a ser importante y regular, la mentira es el signo de la organización de una distorsión de la personalidad que afecta a un adolescente que se siente obligado a esconder una parte más o menos extensa de sí mismo a la mirada de sus padres, incluso a toda su familia, a los adultos en general, o incluso a los de su edad. ¿De dónde viene esta obligación? Está necesariamente ligada a la creencia de que esta parte oculta de sí mismo es a la vez inaceptable para el o los adultos en cuestión y vital, si no indispensable, para el adolescente, que no puede concebir renunciar a ella, en todo caso por el momento.

La mentira, cuando se convierte en un modo de ser, es decir, cuando está organizada, de manera duradera, como la única modalidad de respuesta del adolescente, pone de manifiesto una grave pérdida de confianza: pérdida de confianza en sí mismo y en su capacidad para afrontar sus contradicciones y las de los demás.

Pero también pérdida de confianza en los demás, en particular en los padres, cuestionando su capacidad para acoger y responder a las escisiones de su hijo. Un niño o un adolescente que miente no es únicamente alguien espabilado que sabe cómo ponerse fuera de peligro, sino alguien que tiene miedo.

Falta de confianza y miedo no han aparecido en un día. Ha sido preciso que se instalen en el niño un ligero desfase y después una verdadera separación entre lo que se puede mostrar y lo que es preciso esconder, y esta parte de sombra no ha podido integrarse en el resto de su personalidad. En el malentendido que se crea, es muy difícil, después, discriminar lo que ha sido favorecido por la actitud de los padres y por las dificultades propias del hijo. Miedo a las represalias de los padres, mentira de uno de los padres y sentimiento del hijo de haber sido traicionado, conflicto entre los padres que lleva a uno de ellos a ocultar deliberadamente al otro cosas importantes haciendo del hijo su cómplice... Las causas posibles son numerosas y a menudo enmarañadas.

La mentira, adoptada por el adolescente como única manera de ser, ilustra la importancia y las dificultades de la educación. Ésta no puede prescindir de los límites y las prohibiciones, pero éstas, para ser eficaces, deben poder ser integradas y retomadas a su vez por el niño. Para que esto sea posible, el niño debe comprender la lógica implícita y la legitimidad. Es preciso, pues, que todo comportamiento reprimido o prohibido por el padre, lo sea por el bien del hijo, y que este comportamiento sea desde un primer tiempo acogido y reconocido por el padre. Ya que una represión demasiado severa puede hacer que el niño se sienta culpable o avergonzado, como si nunca hubiera debido tener tales pensamientos. Éstos, en ese caso, pueden quedar enterrados, como un cuerpo extraño no asimilado y no digerido. Tales deseos resurgirán más tarde, especialmente en la adolescencia, horrorosos y monstruosos, y empujarán la personalidad del adolescente a dividirse en varios, vividos como inconciliables.

Dicho esto, el hecho de ser el cómplice de uno de los padres que esconde al otro un comportamiento o pensamientos que ha compartido con su hijo, puede tener un resultado muy parecido. En la adolescencia, un niño que ha estado unido a uno de sus padres por esta especie de pacto secreto puede buscar esta complicidad a través de conductas más o menos delictivas que es preciso esconder a los ojos del mundo.

Es difícil salir de esta clase de situaciones, ya que, en los dos casos considerados, son vividas por el interesado de una manera fusional, de manera que el adolescente vive el resto de su personalidad como una adaptación, sin duda necesaria pero más superficial, a las exigencias del mundo que le rodea.

La solución más eficaz para que la situación evolucione es, a menudo, la terapia familiar. Puede ser la ocasión para el adolescente de percibir que tiene el poder de esconder ciertas cosas a sus padres y que éstos no tienen el poder de leer en él como en un libro abierto. Concebida así, la mentira, cuando no concierne más que a pequeñas cosas de la vida corriente, reasegura al niño en su independencia: no es indispensable que sus padres lo sepan todo sobre él. No tiene que ser, por tanto, avalado por sus padres, fianza que le haría perder todo su valor de acto diferenciador. Pero la reacción que lleva al descubrimiento de pequeñas mentiras puede adoptar un carácter casi lúdico que mostrará que el padre no ha sido timado y, al mismo tiempo, que esta pequeña mentira no es dramática, en tanto que «falta confesada medio perdonada». Podemos esperar que esta integración progresiva del derecho de ocultar y de pensar de forma diferenciada, admitida y reconocida por los padres, limite la necesidad de recurrir a la mentira como modo de existencia.

78. ¿Es grave que fantasee?

La fabulación, que la psicología llama «mitomanía», está emparentada con la mentira, en su forma más organizada, es decir, cuando ésta ha llegado a ser un modo de funcionamiento estable de la personalidad. Representa, sin embargo, un grado suplementario: no hay únicamente mentira sino invención de situaciones ficticias. Esta necesidad no sólo de ocultar una parte de su existencia a la mirada de los padres, sino de inventar, pone de manifiesto un desarraigo claro y el poco valor que la adolescente concede a la realidad de lo que vive, siente y piensa, puesto que necesita, sin cesar, presentarse una versión mejorada, incluso totalmente modificada, a sí misma.

La fabulación tiene por función valorar a la adolescente a sus propios ojos, pero también igualmente y sobre todo a los ojos de los demás. También puede adoptar tanto la forma de un embellecimiento de la realidad como de un afeamiento. En efecto, es frecuente que una adolescente busque, por su mitomanía, suscitar la piedad; inventará en ese caso abandonos, enfermedades mortales y otras violencias sufridas.

La historia familiar es a menudo el material privilegiado de la mitomanía. Es una de las variantes, aumentada y pesada, de lo que se ha llamado la «novela familiar» descrita por Freud: el niño se inventa una familia imaginaria, generalmente de un nivel social elevado, que lo habría abandonado a sus padres actuales, que no son, pues, sus verdaderos padres.

Existen todas las modalidades intermedias entre los ensueños en los que la adolescente no cree verdaderamente pero que le gusta cultivar más o menos secretamente y las formas más invasoras y, por

El comportamiento

tanto, más inquietantes de la fabulación. Pero, incluso en el caso de estas formas extremas, la creencia que se les concede se manifiesta muy variable. No es un delirio, la adolescente sabe que eso no es «realmente verdadero», pero tiene necesidad de contarse esas historias y a menudo más aún, de constatar que puede hacer que las crean los demás, es decir, en suma, que sean creíbles.

Permitiéndole desarrollar su confianza en sí misma se atenuará su necesidad de recurrir a estas fabulaciones, que son, en la mayoría de los casos, una compensación del miedo que siente de no ser bastante interesante. Una terapia familiar, especialmente con los hermanos y hermanas, con relación a los cuales se siente a menudo perjudicada y se vive como inferior, puede ser un buen medio de hacer evolucionar la situación.

79. Ya no quiere tocar más el piano. ¿Hay que obligarla?

«¿Qué importa?», estaríamos tentados de decir cuando un o una adolescente interrumpe brutalmente una actividad artística o deportiva en la que él o ella estaba hasta ese momento aparentemente muy interesado/a. Saber tocar el piano no es indispensable y, si eso ya no le interesa más, ¿por qué forzarla? Por otro parte, tiene bastante trabajo…

Diga lo que diga, a menudo lo abandona justamente porque eso le interesa. Nos encontramos ante un nuevo ejemplo de esa paradoja de la adolescencia que hace que los jóvenes se vean empujados a hacer lo contrario de lo que desean (cf. pregunta 7, p. 30)…

En ese caso, se ve empujada a renunciar porque hace de su éxito con el piano el lugar en el que se juega la imagen que tiene de sí misma y que tienen sus padres. No es verdaderamente consciente en el momento de lo que está en juego y sólo lo valorará bien a distancia, años más tarde. Desearía brillar y ser la primera, pero teme tanto no llegar como alcanzarlo, ya que tiene el sentimiento de que no se lo merece verdaderamente, que ha usurpado su lugar, que se van a dar cuenta, que no es más que una mentirosa, que no tiene realmente las capacidades…

Sentimientos exacerbados por sus expectativas afectivas con respecto a sus padres, de su padre en la mayoría de los casos, que desearía que la admirase, a la vez que no soporta que le muestre un cumplido o una manifestación de orgullo, inmediatamente percibida como una tentativa de aproximación excesiva. Incluso el placer que podría obtener se trasforma en molestia, hasta en irritación, lo que la lleva a veces a ser ostensiblemente desagradable (cf. pregunta 64, p. 163).

Dicho esto, ¿cómo reaccionar a la voluntad, expresada por el/la adolescente, de dejar el piano o cualquier otra actividad que le gustaba anteriormente? Sabiendo ganar tiempo, no tomar al pie de la letra todo lo que dice el adolescente y dejándole la posibilidad de elaborar y superar sus contradicciones en lugar de encerrarlo en ellas. Es preciso preguntarse si se trata de un desinterés progresivo, debido posiblemente a una falta real de éxito, o si el niño no se ha implicado verdaderamente nunca en esta actividad. Si es el caso, no hay ninguna razón de continuar. ¿Se trata por el contrario de una decisión brutal, que sigue al anuncio de un éxito? En ese caso, la significación del deseo de parar es otra. Exige una discusión. Los padres pueden expresar el deseo de que la adolescente se tome el tiempo de reflexión y se dé, por ejemplo, un año suplementario para confirmar o no esta decisión. La finalidad no es entrar en una prueba de fuerza, obligar a la adolescente a continuar con el piano a toda costa, sino no dejarla sola frente a una coacción interior que la lleva a sabotear una actividad potencialmente fuente de placer y de valoración por razones afectivas de las que no es del todo consciente.

Es el sentido mismo de la educación de enseñar a un niño a saber y a poder esperar. Dejarlo evolucionar según sus deseos y sus impulsos del momento, es volverlo esclavo de las tentaciones de las que no mide el alcance, ya sean interiores o exteriores. No puede acogerlas y gestionarlas en su interés, si no es capaz de diferir sus respuestas y de evaluar la pertinencia, en función de su proyecto de

El comportamiento

futuro. Ahora bien, este proyecto es una construcción siempre en movimiento, elaborada según normas y valores que no pueden ser determinados más que en estrecha interacción con los adultos con los cuales el niño y el adolescente tienen confianza.

El primero de los valores que los adultos han de trasmitir, y de los que son garantes, es que no existe libertad posible sin sentimiento de seguridad y sin confianza en sí mismo. Ahora bien, corresponde igualmente a los adultos hacer que los niños puedan adquirirlas. Sin embargo, esto no puede ser suficiente. El adolescente ilustra particularmente la manera en la que la perspectiva de un placer compartido con algunos adultos, aquellos de los que se espera más, y aquellos, incluso, con los que se tiene la mayor confianza, puede ser un factor de temor y de huida. Los adultos deben atenuar estos miedos comprendiendo su sentido, a la vez que hacen comprender al adolescente que perseverar es una de las condiciones de su libertad futura. No se trata de trasformar a este adolescente en objeto de los deseos del adulto, sino de darle los medios de una verdadera independencia, independencia que pasa necesariamente por su capacidad para autorizarse las adquisiciones a las cuales aspira.

Ahora bien, estas adquisiciones, cuando son violentamente deseadas, por el hecho mismo del sentimiento de duda y de insuficiencia que tiene el adolescente, se convierten en objeto de conflictos: conflictos de identidad, en particular, que lo llevan a no saber si lo que hace, lo hace por él o por sus padres (el fracaso y el rechazo, por el contrario, son siempre suyos y le pertenecen). Pero también conflictos ligados al hecho de que estas adquisiciones pueden parecer al adolescente un arma que amenaza a los que ama y le haga perder su amor, sobre todo si pueden permitirle superar su nivel social e intelectual. Volver esa arma contra sí mismo por medio del fracaso puede así combinar la ventaja de ser un modo de diferenciarse, no haciendo lo que se esperaba de él y un medio de conservar el amor y la atención de sus padres.

Lo que acabamos de decir del piano puede aplicarse evidentemente a cualquier otra actividad.

80. ¿Qué hacer si el deporte le ocupa todo su tiempo?

No es raro que un adolescente consagre la mayor parte de su tiempo a una actividad, por ejemplo, el deporte. Esa actividad monopoliza toda su disponibilidad, su interés y la mayor parte de su energía. Como todos los excesos, eso muestra parcialmente una duda, inquietudes, incluso dificultades más o menos serias en los otros campos descuidados. Como si el adolescente, poco seguro de sí mismo, encontrara así un modo de reasegurar su valor, de dominar una parte de su vida, mientras que puede temer, por otro lado, perder pie, sentirse desbordado por unas ambiciones que no podrá realizar.

Esta sobreinvestidura en el deporte, o en otras actividades, ofrece la ventaja de permitir al adolescente valorarse en una actividad concreta, anclada en la realidad, que puede facilitar los intercambios con los jóvenes de su edad. Sin embargo, puede también presentar el inconveniente, si es excesiva, de encerrar al adolescente más que de abrirlo a los demás y de prohibirle otros intereses escolares y sociales. Sabemos, por ejemplo, que la anorexia mental puede manifestarse, al principio y durante un tiempo de la enfermedad, por una frenética necesidad de actividad (marcha o *jogging*, especialmente) que progresivamente funciona sin sentido, cuya única finalidad para el adolescente es desgastarse sin límites en detrimento de cualquier intercambio o de compartir algo con los demás (cf. pregunta 99, p. 223).

Corresponde a los padres poner los límites que el adolescente no puede encontrar, con el fin de evitar que el deporte no llegue a ser para él una especie de droga.

Como toda pasión que se desencadena en la adolescencia, mejora si se inscribe desde el principio en un desarrollo que no sea solitario, sino al contrario, lo más socializado posible. Será mucho más fácil para los padres procurar hacerlo pronto, porque el adolescente es en ese momento más sensible a sus consejos y, sobre todo, porque no estará todavía encerrado en su soledad.

El comportamiento

No es raro, sin embargo, que sean los padres quienes favorezcan el entusiasmo frenético por un deporte. En la incesante carrera por la competencia que rige actualmente nuestra sociedad, algunos preparan desde la más tierna edad a sus hijos a entrenarse en la competición. Ésta ciertamente no es solitaria, pero puede encerrar al adolescente en el único objetivo del éxito, volverlo cautivo de un proyecto de los padres que no es el suyo, en detrimento de su desarrollo afectivo e intelectual. La adolescencia puede ser un momento de rebeldía y de ruptura en ese camino programado hacia un destino concebido por los demás. Esto no significa condenar la preparación de la gente joven en un deporte de alto nivel, sino llamar la atención de sus padres sobre lo que está en juego y los riesgos de un proceso que, aunque sea bien intencionado, puede tener graves consecuencias.

81. Duerme durante el día. ¿Qué hacer?

La inversión del ritmo biológico forma parte de los placeres y de las aspiraciones de la adolescencia. Es un sueño que las vacaciones permiten realizar. Incluso ha llegado a ser, en algunos países, un fenómeno de masas al cual es muy difícil resistirse: fenómeno en el que, los fines de semana, los adolescentes pasan la noche hablando y bebiendo en las calles.

Muchas razones favorecen esta predilección de los adolescentes por la noche. La primera, y no de las menos importantes, es que se opone al ritmo de los adultos. El día es asociado a las exigencias de adaptación a la realidad, del trabajo y de la escuela. Es el mundo de la claridad, de la razón, de la obediencia, al cual se oponen punto por punto el mundo de la noche, de la oscuridad, del sueño, de lo imaginario, de las angustias y de las fantasías, pero también del amor. Puesto que está prohibido –porque debería dormir como un niño prudente–, el adolescente tiene el sentimiento de que la noche le pertenece y de que escapa a la mirada de los adultos.

Además, muchos adolescentes ansiosos tienen dificultad para dormir. Tienen miedo de abandonarse al sueño, como temen abandonarse a una relación de demasiada proximidad con los adultos, de encontrarse cautivos. El sueño se asimila a una pérdida de control que se concreta en el surgimiento de sueños que, en ellos, se convierten fácilmente en pesadillas. Entonces es más fácil dormir de día, bajo la protección lejana de los adultos vigilantes, y estar en vela durante la noche. De esta manera prolongan lo que hacen los niños inquietos que no pueden dormirse más que con una lámpara encendida.

Y a parte, invirtiendo la situación de que los padres velan el sueño de sus hijos, tienen la impresión de controlar la actividad nocturna de sus padres.

En el inicio de la pubertad, y más en los chicos que en las chicas, surge esta necesidad de cambiar el ritmo del sueño. El adolescente experimenta de nuevo dificultades al acostarse, como en su niñez, y, paralelamente, dificultades al levantarse temprano. Él, que el domingo por la mañana iba muy pronto a despertar a sus padres para meterse en su cama, se encuentra con dificultad despierto a la una o las dos del mediodía por una madre irritada por esta nueva pereza. El contacto del que huyó, evitando desde ese momento una proximidad demasiado grande con sus padres, lo reencuentra en el fondo de su cama, en la cual se acurruca, y tiene tanta dificultad para dejarlo como ha tenido para ganarlo.

¿Qué se puede hacer? ¿Hay que dejar al adolescente acostarse cuando quiera? ¿Cuándo y cómo hay que reaccionar a esta inversión del ritmo sueño/vela?

Es preferible no dejarle gestionar solo una situación de la cual no mide bien lo que está en juego. Su equilibrio físico y psíquico exige que duerma lo suficiente y que, por tanto, se acueste. Corresponde a sus padres vigilar este aspecto teniendo en cuenta su edad. Incluso pasados los 18 años, salvo excepciones, se desaconseja dormir menos de 8 horas, y algunas personas tienen necesidad de más horas de sueño. En cuanto a dormir durante el día, posibilidad que se deja a los adolescentes durante los domingos i las vacaciones, no se debe permitir que se convierta en una costumbre. Porque si esta práctica se extiende durante el año escolar, puede tener una resonancia acadèmica inmediata y marginar rápidamente al adolescente. Además, a veces es el signo de dificultades psicológicas que requieren una respuesta rápida y específica.

Dejar que esta conducta se prolongue aunque sea poco supone disminuir las posibilidades del adolescente en su escolaridad, separarle de sus compañeros, dejarlo hundirse en la depresión. Algunos padres a veces se inclinan a pensar que sobre todo no hay que tratarlo bruscamente, que tiene necesidad de comprensión y que, oponiéndose a él, correrían el riesgo de provocar un conflicto que no haría más que reforzar la soledad del hijo. «Cuando vaya mejor», piensan, «se recuperará por sí mismo».

Siempre es un mal cálculo. Los adultos deben ser conscientes que elegir el repliegue y la fuga dejará al adolescente aún más desprovisto y angustiado. Ya no es una elección, sino una coacción que se le impone. Además, existen ayudas apropiadas como la consulta de un especialista.

Cuanto más se deje que la situación se instale, más se agravará. Toda situación que se cierra sobre sí misma se degrada y conduce a un proceso de autodestrucción. El hecho de que sus padres reaccionen inmediatamente siempre es tranquilizador para el adolescente, porque le muestra a la vez la confianza que tienen en su aptitud para salir de esta situación y en su capacidad para hacerle frente, incluso al precio de un conflicto con él. Cualquier otra actitud será percibida como un abandono y una sumisión que no puede más que reforzar las angustias del adolescente.

82. Solamente le interesa la música. ¿Eso puede perjudicar sus estudios?

La música ciertamente es el arte que interesa a un mayor número de personas y que puede tener sobre ellas un mayor impacto. La música puede no exigir ningún esfuerzo particular: no hay más que dejarse penetrar por ella, y suscita inmediatamente potentes resonancias. Es una presencia exterior a uno mismo, pero con la cual uno se puede fusionar, ya sea un placer solitario o compartido por una masa, sin comprometer su identidad personal, que incluso puede, por el contrario, contribuir a exaltar. Con ella, los límites se borran: sueño y realidad se mezclan, como interior y exterior, uno mismo y los demás.

No es sorprendente que niños y adolescentes sean tan sensibles a ella. Es una suerte, pero también un riesgo potencial, especialmente para el adolescente. Asociada al tabaco, al alcohol o a las drogas, puede contribuir a encerrarlo en un universo irreal en el que su presencia pesada y repetitiva agite como un balanceo y reemplace las relaciones humanas. La fuerza de su ritmo y los efectos de grupo que favorece pueden también empujarlo a cometer acciones más o menos violentas.

No es la música por sí misma la que crea el hecho de encerrarse, pero puede acompañarlo y hacerlo más tolerable en los sujetos vulnerables. En ese caso es una compensación ideal, siempre al alcance de la mano y del oído, sin exigencias, tan intensa y maravillosa, que escapa a todo límite, que puede conducir al adolescente a pensar que a él le sucede lo mismo y que participa de su magia.

Pero el adolescente no sólo escucha música. Puede desear llegar a ser músico. El éxito de algunos grupos jóvenes que admira le sirve de modelo. Muchos adolescentes olvidan el trabajo intenso y continuo que precede a todo éxito, y el número de fracasos comparado con el de éxitos.

El hecho de que el adolescente esté «enganchado» a la música y que desee hacer música a todo precio no ha ocurrido sin motivos. La violencia de esta «adicción» muy a menudo es proporcional a las decepciones que ha sufrido en otros ámbitos, el ámbito escolar especialmente, y a las dificultades de comunicación que encuentra en su familia. Una vez que ha nacido, es difícil contrariar esta pasión, y probablemente no es necesario. Más vale acompañarla, tratar de evitar que el adolescente entre en la lógica del todo o nada, con el fin de permitirle continuar sus estudios, explicarle que tener muchas posibilidades de elección es tener más libertad. Pero los adolescentes no están siempre dispuestos a comprenderlo; es verdad que sin pasión y sin un trabajo intenso, no hay que esperar abrirse camino en ese campo. Será entonces difícil hacerle aceptar que siga siendo un hobby agradable, mejorable, pero que no sustituye las exigencias de la vida cotidiana y escolar.

83. Habla en su jerga. ¿Qué hacer?

La jerga es un ejemplo perfecto de la «paradoja adolescente»: el adolescente busca crear un lenguaje que le sea específico, pero que no es más que lo opuesto del lenguaje adulto y, por lo tanto, una manera de posicionarse con relación a ellos. Practicando este lenguaje, escapan a su comprensión, pero no a sus miradas asombradas o desaprobadoras.

Si el adolescente tiende a expresarse en su jerga, más vale considerarlo como un juego. Pero todo juego tiene sus límites. Es preferible hacérselo saber muy pronto al adolescente. Dicho esto, el límite puede variar sensiblemente de una familia a otra. Como búsqueda de originalidad y de diferencia, la práctica de la jerga no debe marginar al adolescente, impedir toda comunicación con el mundo de los adultos, y en particular con el mundo de los padres.

84. Las groserías forman parte de su vocabulario. ¿Es necesario obrar con severidad?

Manera clásica de afirmar su emancipación y de marcar su diferencia y su territorio, las palabrotas se han banalizado de tal manera en la infancia, al menos en los patios del recreo, que han perdido su poder de asombrar. No parece, por tanto, deseable volver a darles importancia.

Sin embargo, puede ser benéfico que los adultos den ejemplo y afirmen, sin ponerse nerviosos, que el uso de palabrotas no es indispensable para manifestar su independencia de espíritu o su poder y que ponen de manifiesto una falta de respeto a sí mismos y a los demás.

Muchos presienten que la desviación actual de la expresión verbal en los jóvenes no es ni un factor de apertura ni un factor de mayor libertad de expresión. Conduce más bien a una escalada verbal, a menudo pobre y repetitiva, que lleva a estos jóvenes a abandonarla para medirse con la violencia física. Las reglas de educación eran una mediación que obligaba a las personas a contenerse y a respetar los límites y la persona del otro. La ausencia de límites en la expresión verbal deja a cada uno a merced de los ataques del otro; la mejor manera de prevenirse de estos ataques parece que es atacar más rápido y más fuerte. Asistimos así, en los patios de las escuelas, a tristes escenas de intercambios groseros en los niños de 3 a 10 años. Aunque no sepan lo que significan las palabras que pronuncian o que escuchan, saben que están destinadas a herir y humillar a quienes están más unidos, sus padres. No reaccionar supone favorecer una educación del desprecio del otro que afectará particularmente a los más vulnerables, es decir, a los niños que no tienen una familia lo suficientemente estructurada como para permitirles relativizar estos propósitos y desprenderse de ellos.

Algunos emprenderán la adolescencia con la idea de que es preciso despreciar al otro para no ser uno mismo despreciado. Esta cultura del desprecio conduce a focalizarla en las diferencias, y especialmente en una de las diferencias esenciales: la diferencia de sexos. Porque es la más fácil de utilizar. Presenta la ventaja de apoyarse sobre una diferencia física, fácilmente identificable, muy marcada culturalmente por estereotipos que permiten separar al fuerte y activo, asociados a lo masculino, del débil, del pasivo, del emotivo, asociados a lo femenino. Sobre todo son los chicos los que desprecian e injurian a las chicas, pero también a todos aquellos que presentan diferencias visibles: los chicos que parecen afeminados, los de otra raza, incluso los minusválidos. Pero no es cualquier chico. Justamente son aquellos que se sienten poco confiados y seguros de sí mismos, los que tienen necesidad de asegurarse incesantemente de que tienen ante ellos a alguien que juzgan inferior por miedo de serlo ellos mismos.

Ahora bien, estos chicos vulnerables, muy marcados por la inseguridad de la que son víctimas, por su incapacidad de esperar y de controlarse, por la dependencia y las carencias afectivas que han sufrido en su infancia, viven en el temor de mostrar sus debilidades y de dejar hablar al niño herido que han sido y que son todavía. Es todo ese mundo infantil (es decir, todo lo que proviene de la infancia), vivido por ellos como pueril y, por lo tanto, incompatible con la imagen que desean dar de ellos mismos, lo que proyectarán sobre el otro (cf. preguntas 4 y 16, pp. 21 y 63).

Proyectándola sobre lo femenino, se garantizan a buen precio que ellos mismos son hombres. Por otra parte, esta proyección los reasegura, les permite establecer una relación, eventualmente sexual, con una chica joven a la que puedan mantener bajo control. La verdadera diferencia hombre-mujer se borra en provecho de una pseudo-diferencia en la que los chicos se esfuerzan por escapar a lo mismo, es decir a lo femenino en ellos, oponiendo lo que sería superior, lo masculino, a la feminidad considerada inferior.

85. Las sectas y otros grupos extremistas me dan miedo. ¿Cómo prevenirlo de los peligros que representan?

No sin razón se tiene miedo de estos grupos, ya que representan probablemente la forma más pervertida de la educación. El papel de la educación no es formar clones, producción en cadena de un modelo único. Este es, justamente, el objetivo que persiguen sectas y grupos extremistas en provecho de un líder carismático, que habla y actúa supuestamente en nombre del bien y para el bien de todos, o al menos de los puros y de los justos, es decir, de los que son como él.

El proceso sectario es un proceso totalitario que tiende a despojar al otro de su capacidad de elegir. Educar es proporcionar los recursos necesarios para poder aprender, no tanto contenidos determinados, como el placer y la curiosidad de aprender, y criticar, estar en condiciones de poder elegir. La perversión es utilizar al otro para fines personales, negarle el derecho a existir en tanto que sujeto que tiene necesidades y deseos propios, es decir, diferentes de los nuestros. El colmo de la perversidad, resultado del adoctrinamiento, es hacerle creer que lo que se le impone responde a sus elecciones personales. No siempre es fácil distinguir adoctrinamiento y educación. Son a la vez la intencionalidad de quien educa y el contenido de los aprendizajes los que marcan la diferencia. En el caso del adoctrinamiento, la intención, servida por los recursos educativos propuestos, es actuar de modo que el otro perpetúe y reproduzca un pensamiento idéntico. El auténtico educador puede señalar su preferencia por tal o cual corriente de pensamiento, pero no la impone, y los recursos educativos abren a la elección y a la diferencia.

La tentación de todo educador, sobre todo si se siente amenazado y debilitado en la transmisión de su saber, es intentar dominar y controlar. Se aferra entonces a trasmitir los contenidos que permanecen fijos e intangibles en el curso de los siglos, como si su permanencia garantizara su legitimidad.

Las religiones, pero también las ideologías, escapan difícilmente a esta tentación. Escapar exige un esfuerzo continuo de ponerse al día y de cuestionarse, algo que no es fácil. El proceso científico es el único en hacer investigación, fundada no sólo sobre creencias sino sobre la verificación experimental, fundamento de su acción. En esto es lo opuesto al proceso sectario y su mejor antídoto, aunque

El comportamiento

eso no impide que a título individual algunos científicos estén a su vez tentados por un pensamiento totalitario.

Sin embargo, la ciencia no es suficiente para la vida social, fundada sobre un sistema común de valores. Es necesario criticar esos valores para hacerlos evolucionar. La sociedad democrática intenta conciliar una referencia a valores comunes y su necesario carácter evolutivo y relativo.

Pero a más libertad, menos certezas. Los sujetos más vulnerables pueden en ese caso sentirse muy desestabilizados. Buscarán satisfacer su necesidad de seguridad, demasiado importante para poder serlo por los padres, percibidos como invasores, en una secta, que pueda asegurarles la diferencia necesaria para no sentirse confundidos con sus padres, pero en la que encontrarán a menudo coacciones y certezas que, seguramente, los reasegurarán, pero que son mucho más alienantes que en su familia.

¿Cómo puede llegar un adolescente a tales extremos? Lo que hace que un adolescente, cuya vulnerabilidad hace posible esta clase de elección (el peso de los encuentros y de los acontecimientos), pase al acto continúa siendo un misterio. La mayoría de los adolescentes que sufren tal inseguridad no se adhiere nunca a tales prácticas.

El rol carismático de un líder o la seducción ejercida por un adepto pueden hacer bascular un destino. Una humillación, un traumatismo o una pérdida pueden conducir a un individuo a fusionarse con una causa, sin cuyo encuentro se hubiera suicidado. Las personas víctimas de esta clase de heridas, que son también heridas de amor propio, se refugian a menudo en un orgullo desmesurado que parece más aceptable delegar en una causa que asumir uno mismo. La adhesión total a una creencia, sea la que sea, colma de un golpe soledad y duda, crea la ilusión de no ser más que uno con los demás adeptos, ilusión que puede fascinar, reasegurar y colmar. Cuanto más fuerte es la necesidad de creer, más corre el riesgo de ser dramática la pérdida de esta creencia. La abstinencia es difícil y aleatoria.

Las heridas de los adolescentes más susceptibles de entrar en una secta no son siempre las más visibles. Algunas conversiones y adhesiones parecen incomprensibles vistas desde el exterior. A menudo son guardadas en secreto. Grandes conflictos de los padres más o menos enmascarados o el sufrimiento oculto de uno de los padres, sometido a la dictadura del otro, pueden alimentar en el niño un deseo de venganza y un odio que lo hacen enloquecer y del que no encuentra salida más que en la fuga que representa la adhesión a un grupo sectario. En efecto, todo fanatismo, para mantener su fuerza unificadora, arroja el odio que lo anima al exterior.

El desvío sectario y fanático afortunadamente es excepcional, incluso si las excepciones parecen siempre demasiadas. ¿Por qué, entonces, hay que tener miedo por su hijo? Parece importante preguntarse sobre lo que motiva los miedos que nos inspiran nuestros allegados. ¿En qué presentimientos de violencias posibles nos apoyamos para temer de este modo que uno de nuestros hijos pueda irse tan lejos de nosotros?

86. ¿Cómo reaccionar cuando por nada monta en cólera?

Esto no es necesariamente muy grave, y sin embargo cualquier padre presiente rápidamente que esa cólera incontrolable es el signo de un sufrimiento y de un fracaso preocupante.

La imposibilidad de contenerse es reveladora de dos cosas: si no podemos dominarnos, es que ya no sabemos qué hacer, y si estamos en cólera, es que somos infelices. Dos buenas razones para que los padres se preocupen y no abandonen a su hijo en su soledad. No es bueno ni para el entorno ni para el interesado soportar esta situación sin decir palabra, bajo pretexto de que el adolescente es así, o de que será pasajero, o incluso de que ya sufre suficiente como para que vengamos a añadirle más sufrimiento.

Ninguna tiranía es benéfica, ni para el tirano ni para las víctimas. El adolescente es víctima de lo que no puede controlar en sí mismo. No es aceptable que un adolescente esté siempre en cólera: si no puede controlarse, debe ser ayudado y aceptar buscar las respuestas adaptadas a sus dificultades.

Tras la cólera se esconden siempre conflictos. Pero conflictos que, en general, no pueden ser formulados claramente; conflictos que alimentan paradojas exacerbadas por esta edad y contradicciones percibidas como imposibles de resolver por el adolescente. Los padres son quienes han de poner los límites que el adolescente mismo no puede encontrar y buscar con él y con la ayuda de terceros apropiados las soluciones que se imponen: explicaciones familiares, psicoterapia individual y/o familiar, antidepresivos o calmantes, alejamiento de la familia, etc.

Capítulo 7

El sufrimiento

87. Se siente deprimido. ¿Cómo ayudarle?

La depresión, o la morosidad, son ciertamente los signos de sufrimiento psíquico más frecuentes en la adolescencia. Hasta el punto de que se ha querido ver como una de sus características inevitables. Pero eso es falso, incluso si alrededor de uno de cada cuatro chicos, y más aún de chicas, estará deprimido en un momento u otro de su adolescencia.

Es verdad que el término deprimido alude a realidades muy diferentes, que van desde algunos momentos de morriña (que forman parte del ajuste normal a la realidad) hasta la depresión mayor, verdadera enfermedad psiquiátrica que tiene a menudo un fundamento biológico y genético. La depresión puede expresarse por un fondo depresivo crónico, pero también por una manera de organizar su vida, no sin un cierto placer romántico en hacerlo saber y en mostrarlo, en la nostalgia, por pensamientos depresivos que se esconden tras quejas repetidas que conciernen muy a menudo al cuerpo, por trastornos de comportamiento o por una agitación inquietante. La mayor parte, si no la totalidad, de los trastornos psicopatológicos es, en efecto, la indicación de una posible depresión.

El adolescente y, posiblemente más aún, sus padres deben aprender a tolerar los momentos de depresión sin mostrar por ello signo evidente de que está deprimido, incluso enfermo. Al contrario, corresponde a los padres descubrir un estado depresivo que se instala, se organiza y perdura y reaccionar consultando a un médico de ca-

El sufrimiento

becera o a un psiquiatra. Incluso eso es más necesario cuando existen antecedentes familiares de depresión, sin que por ello suscite inquietudes exageradas o despierte la idea de una fatalidad familiar a la cual el adolescente no podría escapar. La presencia de antecedentes severos o de suicidio en su familia no quiere decir que el adolescente siga forzosamente el mismo camino si está deprimido. La influencia genética es compleja y parcial; no interviene más que en asociación con la parte del entorno, ligada a la historia de la vida del interesado, de la depresión. Eso simplemente quiere decir que una cierta vulnerabilidad genética contribuirá a otorgar, a los pensamientos y a las emociones depresivas de un adolescente que tenga antecedentes, una resonancia y una amplitud fácilmente más importantes que en otro. La prescripción de antidepresivos y/o reguladores del humor con carácter preventivo puede liberarle de estos handicaps y dejarle más libre para resolver sus problemas, factores de depresión. La prescripción de medicamentos no quiere decir, sin embargo, que tenga una enfermedad depresiva y que deba tomarlos toda su vida, sino más bien que puede ser en ciertos momentos un instrumento que puede ayudarle a darle los medios para resolver sus problemas.

La enfermedad depresiva propiamente dicha tiene un carácter periódico, episodios de excitación, llamados manías, que alternan con episodios depresivos (enfermedad maniaco-depresiva). Ciertas formas puramente depresivas de la enfermedad tienen a menudo una mayor duración. Todas estas formas de enfermedad depresiva responden bien a un tratamiento curativo (antidepresivo y/o calmante) y, desde ese momento, a un tratamiento preventivo. Los medicamentos no impiden sino que, al contrario, facilitan una aproximación psicoterapéutica individual y familiar.

Entre estas formas mayores de depresión, existen todas las intermedias y todas las variedades de manifestaciones depresivas, a las que se puede dar una respuesta con las psicoterapias ya citadas (cf. preguntas 19 y 20, pp. 68 y 72).

88. ¿Qué hacer si tiene miedo a enloquecer?

Es un miedo que está lejos de ser excepcional en la adolescencia, incluso si no se formula siempre tan claramente. Corresponde a un miedo característico de los chicos de esta edad: el de perder el control de sí mismo. Refleja muy bien las fuertes presiones a las cuales está sometida la personalidad del adolescente a causa de la pubertad: presión de la subida en potencia de los deseos y de los apetitos de todas clases; presión de las coacciones externas y de la necesidad de cuidar el amor de los padres; presión ligada a las contradicciones que el adolescente lleva consigo, a su necesidad de los demás, que se opone a su deseo de ser autosuficiente. Sus contradicciones pueden fácilmente crearle el sentimiento de que no puede contenerlas más y de que va a explotar: es lo que él llama «locura». El adolescente tendrá mayor tendencia a expresar su malestar por una forma de violencia explosiva cuanta más dificultad tenga para expresar con palabras lo que vive y, por lo tanto, a comprenderlo.

Llamamos generalmente locura a lo que no comprendemos. Es decir, que este miedo relativamente banal está, en la mayoría de los casos, muy alejado de la locura como enfermedad. Aunque esto no es una razón para tomar el miedo del adolescente a la ligera; la mejor respuesta que se le puede facilitar es ayudarle a comprender lo que le pasa y poner palabras a lo que le hace sufrir para finalmente familiarizarlo con el problema (cf. pregunta 7, p. 30).

89. Es víctima de abusos sexuales. ¿Qué hacer para ayudarle?

Los abusos sexuales son mucho más frecuentes de lo que se piensa; han sido y son todavía ampliamente subestimados. Aunque conciernen más a las chicas, también los chicos son víctimas. Requieren, por parte de los adultos, una reacción inmediata, la condena total del hecho del que ha sido víctima el adolescente y la interposición de una demanda judicial, al mismo tiempo que se deben ofrecer medidas de ayuda psicológica.

Ser víctima de un abuso sexual tiene siempre consecuencias negativas sobre el desarrollo de la personalidad del niño y del adolescente. Alteran gravemente su confianza en los adultos, alteración que será mayor cuanto más próximos sean afectivamente de él. Son el ejemplo más trágico de la perversión de la que puede dar prueba el adulto que se sirve de un niño para satisfacer sus propias necesidades en lugar de responder a las del niño, que es tratado como una cosa y no como un sujeto cuyos deseos, cuerpo y intimidad psíquica y física tienen el derecho de ser respetados. Que un niño pueda, aparentemente, no protestar, incluso tener placer, o además declarar que consiente no cambia para nada la gravedad del gesto y de la violencia que sufre. Esta aparente sumisión no es más que la prueba de la influencia que puede tener el adulto sobre el niño y de la confianza que éste le concede.

El papel del adulto, sean cuales sean sus vínculos con el niño, es el de facilitarle los medios para desarrollar plenamente sus potencialidades y mostrarle aquellos que ha elegido, pero por supuesto no utilizar su influencia para acapararlo en su provecho. Porque todo adulto, lo quiera o no, tiene una posición de educador potencial con respecto al joven, y no puede permitirse utilizar esta posición de autoridad en beneficio propio, en detrimento de la libertad de elección del niño, necesariamente falseada por la ambigüedad del vínculo que lo une al adulto.

Cuanto más fuerte es la autoridad vinculada a este papel educativo, mayor es la violencia moral hecha al niño; esto concierne, pues, naturalmente en primer lugar a los padres. Evidentemente, no hay que poner en el mismo plano lo que puede suceder entre niños o adolescentes de la misma edad, para los que no existe esa relación de autoridad moral. Los juegos sexuales, por ejemplo la masturbación mutua, que tienen lugar sin violencia ni penetración ponen más de manifiesto los ensayos y las tentativas de familiarizarse con el otro sexo y con la sexualidad, que el abuso propiamente dicho. Sin embargo, no deben ser ni favorecidos ni objeto de una complicidad tácita de los adultos, hasta que el adolescente no haya alcanzado su madurez afectiva y sexual. Sin jugar con la culpabilidad del adolescente, sus padres pueden explicarle la necesidad de saber respetar la intimidad de cada uno y mostrarle que su desarrollo personal pasa por el aprendizaje de la espera, que debe esperar a estar presto físicamente y psicológicamente para poder, más tarde, vivir plenamente su sexualidad. En cuanto a las relaciones entre hermanos y hermanas, es necesario recordar de manera firme que en ningún caso tales relaciones pueden tener lugar entre miembros de una misma familia (cf. pregunta 50, p. 132).

El hecho de que el abuso permanezca durante largo tiempo oculto es una de las mayores dificultades de esta clase de situación. Miembros de la familia, amigos, vecinos pueden así perpetrar impunemente abusos sexuales durante meses enteros, incluso años, porque han obtenido el silencio del niño utilizando su autoridad, porque le han provocado miedo, pero también porque el niño tiene vergüenza y teme tanto no ser creído como ser reñido por el padre al cual podría confiarse. Es necesario saber reconocer en ese caso las señales de desamparo que envía el adolescente: repliegue sobre sí mismo, depresión, mutismo, fracaso escolar que sobreviene bruscamente de manera inexplicable, pero también formas diversas de ataques contra el cuerpo (escarificaciones, tentativas de suicidio, adelgazamiento o aumento de peso anormales). Inquietarse no consiste en hacer un interrogatorio brutal y fuera de lugar, sino mostrar que nos preocupamos por lo que ha podido herir o decepcionar a la adolescente víctima de abuso, con el fin de que tenga suficiente confianza para que pueda, más o menos rápidamente, confiarse. Todos los trastornos psicopatológicos que afectan a un o una adolescente pueden estar totalmente motivados por abusos sexuales, aunque siempre no lo sean; en todo caso siempre son reforzados, sin que manifiesten por tanto una especificidad particular.

Una vez descubierto el abuso, hay que denunciarlo, al mismo tiempo, a las autoridades legales y recurrir a un terapia apropiada.

El sufrimiento

Esa terapéutica pasa por la verbalización del traumatismo y de las emociones reprimidas, verbalización que debe poder tomarse el tiempo que sea necesario. La intervención de un psicoterapeuta es indispensable, ya que no es deseable que las consecuencias de este traumatismo se solucionen únicamente en el seno de la familia, incluso si el culpable forma parte de ella. Los efectos son demasiado complejos como para que los padres sean los confidentes del niño del que han abusado. La importancia de los vínculos afectivos que les unen al niño hace indispensable la intercesión de un adulto a la vez especializado y exterior a la familia, más neutro afectivamente. Porque es preciso que la adolescente que ha sido víctima de abusos sexuales no se libere solamente del traumatismo, sino que pueda tener la posibilidad, después, de una vida y unas relaciones en las que el placer no esté excluido.

90. Tiene ideas de suicidio. ¿Cómo renovar el diálogo?

Al igual que la depresión, las ideas de suicidio no son propias de la adolescencia ni uno de sus pasajes obligados. Sólo una visión romántica falseada de esta edad puede hacer creer que todo adolescente tiene, un día u otro, pensamientos de suicidio. Sin embargo, tener ideas suicidas no es en sí una patología, pero refleja una vulnerabilidad a la depresión y una insatisfacción de sí mismo, y de los demás, que no hay que descuidar.

La evocación de ideas suicidas no requiere necesariamente la consulta inmediata de un psiquiatra o de un psicólogo. Sólo en el caso de que persistan y se acompañen de manifestaciones depresivas francas: repliegue sobre sí mismo, indiferencia o angustia, ausencia de deseos y de proyectos, trastornos del sueño y de la alimentación... Por el contrario, los padres deben responder a toda expresión de una idea depresiva estableciendo, por lo menos, un intercambio profundo y un diálogo verdadero, sin evasivas y sin tabúes. Primero hay que escuchar lo que no va bien y ayudar al adolescente a encontrar las palabras para expresarlo antes de ofrecerle su punto de vista, intentar presentar la situación bajo un ángulo más positivo y devolverle la esperanza.

En ciertos casos, la idea del suicidio puede anclarse y llegar a ser en el adolescente un modo regular de lamentarse, lo que no es sano y reclama un punto de vista cualificado exterior. Necesariamente esto no es signo de que el riesgo de tentativa de suicidio sea importante, ni de que la depresión sea profunda. Sin embargo, no hay que banalizarlo bajo el pretexto de que con hablarlo es suficiente para no pasar al acto, lo que es falso, ni dramatizar la situación de manera que el adolescente favorezca la utilización de la amenaza de suicidio como medio de entrar en relación con su entorno. Porque, en esta edad, la queja puede convertirse fácilmente en un medio para regular la distancia relacional y afectiva que lo separe de sus padres (cf. preguntas 7 y 10, pp. 30 y 47). Regular esa distancia amenazando constantemente con suicidarse terminaría por hacer a los adultos y al adolescente rehenes unos de otros. Es preciso intentar que la comunicación se desplace hacia otro registro, lo que generalmente supone iniciar una terapia familiar y/o individual.

91. Roba en los grandes almacenes. ¿Cómo hablarlo con él/ella?

El robo es más frecuente de lo que creemos, aunque a menudo pasa desapercibido. Que sea o no descubierto, puede llegar a ser invasor y corresponder a una verdadera coacción compulsiva en ciertos adolescentes: es lo que se llama cleptomanía. Este trastorno del comportamiento puede acompañarse de otros trastornos que ponen de manifiesto su severidad, en particular la bulimia, pero también el consumo de tóxicos, la mitomanía, las conductas suicidas.

Que una adolescente adopte la costumbre de robar puede a veces ser el resultado de una educación laxa, sin contar con que ha podido dejarse arrastrar por sus compañeras. Los grandes almacenes estimulan los deseos, en la medida en que los bienes que se ofrecen no parecen vinculados a una persona privada, particular, como es el caso en los comerciantes, sino a una entidad general e impersonal.

Para los padres que se enteran de que su hija roba o que la sorprenden robando, la cuestión es saber si eso no constituye un comportamiento ocasional y circunstancial (en cuyo caso pueden pedir una explicación y plantearle una prohibición, en la mayoría de los casos con éxito), o si se trata realmente de cleptomanía, es decir, de una conducta cada vez más organizada y más difícil de controlar. La cleptomanía aparece más a menudo en las chicas, mientras que el robo, cuando se convierte en una costumbre, en los chicos, está más asociado a un comportamiento impulsivo, delincuente y más o menos violento.

Como todo comportamiento marginal, el robo requiere una respuesta inmediata de los padres, que deben a la vez recordar la importancia de los límites y ayudar al adolescente a evaluar mejor las apuestas de sus actos. A partir del momento en que se manifieste como un comportamiento repetitivo del adolescente, ya sea bajo una forma de cleptomanía o bajo una forma delincuente, es necesario que intervenga un psiquiatra y, a continuación, un educador.

92. Me ha robado dinero de mi monedero. ¿Hay que obrar con severidad?

Este tipo de comportamiento es más frecuente en los chicos que en las chicas. Sobreviene fácilmente justo antes o al principio de la adolescencia, cuando el chico, que no ha dejado todavía totalmente la infancia, quiere jugar a ser grande y poder «pagarse» lo que le apetezca. Generalmente es del monedero de la madre de donde va a cogerlo, seguramente porque es más accesible que el monedero del padre, también más familiar. Esta elección es reveladora de que el niño se diferencia mal de su madre, que se considera de alguna manera como una especie de prolongación del cuerpo materno. Si le falta algo, le basta con cogerlo de esa prolongación simbólica de la madre que es el monedero. Esta elección expresa, pues, lo mucho que el preadolescente continúa siendo todavía dependiente de su madre. Diríamos que el poder y la fuerza que busca adquirir siguen siendo para él atributos maternos que no podría apropiarse sin robarlos. En esta edad, el padre aparece aún demasiado lejano, más o menos inaccesible, y tomarlos de él es más transgresivo y más peligroso. Cuando este tipo de comportamientos sobreviene más tarde en el adolescente, éste se sirve del monedero paterno, y roba sumas netamente más considerables que en el monedero materno.

Debido a la importancia del vínculo de dependencia que lo une a sus padres, el niño tiene dificultad en concebir que se hace mayor, en ser autónomo y poder tener cosas suyas, pedirlas y discutirlo con sus padres. En su cabeza, lo que es de los adultos, especialmente el dinero, debe dejarlo y no es para él. Para poseerlo, sólo puede robarlo, cogerlo a escondidas de sus padres. Puede también tener vergüenza de desear tener dinero propio y sentirse incapaz de manifestar el deseo ante su madre como si eso fuera dar prueba de una audacia culpable y de un impudor que requiriera un castigo.

Un robo precoz, eventualmente repetitivo, es un robo infantil, es decir ligado a la persistencia de un vínculo de dependencia infantil con la madre. Ésta puede alentarlo sin darse cuenta manteniendo una proximidad física demasiado grande con su hijo, lo que lo infantiliza, o queriendo mimarlo demasiado, especialmente multiplicando los pequeños regalos y las golosinas que dan al niño el sentimiento de que su madre es como el cuerno de la abundancia, llena de cosas buenas que puede distribuir indefinidamente pero a su gusto, como quiera y cuando quiera. El padre no es casi consultado y se encuentra muy marginado en este tipo de intercambios.

Un padre que se da cuenta de que su hijo ha robado dinero de su monedero, evidentemente no debe aceptar este comportamiento y debe prohibirlo, pero, al mismo tiempo, debe ayudar al adolescente a adquirir una autonomía real. El papel del padre es en ese momento primordial: de él debe proceder la doble confirmación de la prohibición y del derecho del adolescente a disponer desde ese momento de atributos y de territorios que le pertenezcan. Para transmitir al adolescente el sentimiento de que es bastante grande como para empezar a gestionar sus asuntos y concretizar este cambio, su padre puede asignarle dinero de bolsillo.

Si este tipo de comportamiento parece que ya se ha convertido en hábito, no desaparecerá necesariamente en las primeras intervenciones. Es preciso descubrir los resbalones del adolescente, sancionarlos, valorando al mismo tiempo, lo que puede darle confianza en sí mismo. Sobre todo será necesario que sus padres se interroguen sobre el modo en el que ellos mismos se comportan en la vida cotidiana y sobre la existencia eventual de una complicidad demasiado grande entre ellos y el adolescente. Una terapia familiar puede, entonces, aparecer como la ayuda más apropiada.

93. ¿Cómo ayudarle si es víctima de chantaje en el instituto?

Lo que parece más intolerable en el chantaje cuando se da entre adolescentes es lo que significa de dimisión por parte de los adultos, que ya no son capaces de proteger a sus propios hijos. Y se produce en un lugar, la escuela, que aspira a ser el templo de la educación. El chantaje es generador de una insoportable violencia que se ejerce a un triple nivel: el del robo mismo que despoja al adolescente de lo que le pertenece, el de la vergüenza vivida por el adolescente coaccionado a vivir pasivamente este robo y confrontado a su impotencia y, finalmente, el de la impotencia de los adultos.

Se puede banalizar el chantaje bajo el pretexto de que el valor de los objetos robados no es muy importante. Es la propia situación la que es grave. Los padres de un adolescente víctima de chantaje deben apoyarle y compartir con él lo que puede estar sintiendo, verbalizándolo en su lugar cuando él no logra hacerlo solo. Sin embargo, hay que poner atención en lo que llamamos chantaje: no lo es un conflicto entre jóvenes en el curso del cual a uno de ellos se le cogen algunos billetes, un juego sin gran valor o algunas fruslerías. Si este conflicto se desarrolla entre compañeros, debe resolverse entre ellos. Por el contrario, otra cosa distinta es la situación en la que un niño mayor y más fuerte que él, incluso un grupo, usan esta posición dominante para amenazar al niño y tomarlo como rehén, incluso si el valor de lo que se le pide no es elevado. La violencia que se le hace es inaceptable. Así que hay que poner fin, y buscar el modo de que sea a lo más rápidamente posible, toda situación en la que el niño sea coaccionado a hacer cualquier cosa que no desee hacer o colocado en una posición de chivo expiatorio. Esta situación es siempre hiriente para la víctima, como pueden serlo ciertas novatadas, y por esta razón constituye un riesgo potencial de traumatismo.

El apoyo y la comprensión son indispensables pero no suficientes, ¿cómo reaccionar más enérgicamente? Puesto que esta situación debe cesar lo más rápido posible, ¿cómo hay que proceder? Ya que es de dominio público que los padres están prácticamente desprovistos de recursos y que sus intentos de hacer algo pueden volverse contra el niño. La misma escuela no sabe siempre cómo proceder, los chantajistas pueden venir a veces del exterior. Algunos padres se han visto obligados a cambiar al adolescente de centro, lo que puede aparecer como una dimisión frente a la violencia, pero que seguramente es preferible a su perpetuación.

Para resolver esta situación, ciertamente es necesario que tenga lugar una concertación entre adultos: padres, escuela y policía. Únicamente la firmeza y la coherencia de este trabajo de grupo pueden poner fin a una práctica asimilable, en última instancia, a una forma de terrorismo.

94. ¿Qué hacer si ha sido agredida en el colegio?

Una situación de agresión es siempre parecida a una situación de chantaje y requiere el mismo tipo de respuesta. Estos dos casos son reveladores de un fracaso total del modelo educativo y de un aban-

El sufrimiento

dono de prerrogativas esenciales de la civilización, a saber, la protección del individuo, el respeto al derecho y el rechazo de la ley por el más fuerte; son igualmente generadores de una posible crisis de confianza en los adultos por parte de los adolescentes que son víctimas. Dejarlas que se perpetúen, aunque sea poco, supondría dar un paso más hacia una forma de barbarie.

95. Delira. ¿Está enfermo?

El delirio es la expresión de un trastorno grave del juicio, que aboca, a quien lo sufre, a convicciones que no tienen en cuenta la realidad y no pueden ser objeto de una mirada crítica por su parte.

El delirio no aparece realmente más que en la adolescencia, cuando el sujeto es lo suficientemente capaz de diferenciar la realidad y lo imaginario. Antes, es muy difícil saber hasta qué punto el niño se adhiere a sus construcciones imaginarias.

El delirio se acompaña, en la mayoría de los casos, de un sentimiento de persecución. El adolescente afectado se siente perseguido, amenazado por una organización anónima o conocida, pero también por un o muchos miembros de su entorno próximo, incluso de su familia, con relación a los que puede manifestarse peligroso. El delirio puede también tener una tonalidad mística y pasional: el adolescente se siente investido de una misión, se considera un profeta u otro personaje religioso importante. Puede pensar que es descendiente oculto de un personaje célebre y que su verdadera identidad debe ser revelada; o por el contrario, que debe esconderse porque se podría atentar contra su vida.

Si el delirio se focaliza sobre una única persona, es potencialmente peligroso, ya que el adolescente puede llegar a pensar que, deshaciéndose de esa persona, encontrará la libertad. Siempre es una persona importante a la que el adolescente atribuye muchas cosas. Llega a ser para él portadora de una parte de su mundo psíquico que no acepta y que proyecta sobre ella. Esta parte de él mismo puede ser positiva e idealizada, en cuyo caso el adolescente podrá desarrollar un apego pasional y a veces convencerse incluso de que esta persona está enamorada de él: lo que llamamos la erotomanía. Pero la mayoría de las veces se trata de una parte negativa, en cuyo caso el adolescente creerá por el contrario que la persona sobre la cual la proyecta le amenaza y lo persigue.

El cuerpo puede igualmente ser objeto de construcciones delirantes: el adolescente tiene en ese caso el sentimiento de que sufre transformaciones anormales, transformaciones que conciernen mayoritariamente a la identidad y a los órganos sexuales.

Puesto que pone de manifiesto un trastorno grave de la relación con la realidad y se traduce en un trastorno psiquiátrico que necesita un tratamiento específico del que forman parte medicamentos psicotrópicos, el delirio siempre es inquietante y necesita una consulta psiquiátrica inmediata.

Existen delirios agudos, la mayoría de las veces pasajeros, ligados a la ingesta de tóxicos, alcohol y diferentes drogas, que pueden acompañarse de una fiebre alta y manifestarse con propósitos delirantes. No son en realidad más que la pérdida de control de sí mismos, una especie de sueño despierto muy diferente del verdadero delirio.

En algunas familias aisladas, con dificultades, que mantienen por eso una desconfianza comprensible con relación al mundo exterior considerado hostil, si no lo consideran peligroso, los padres pueden estar tentados a adherirse, al menos durante un tiempo, a los propósitos delirantes del adolescente. Éste puede ser también el caso cuando se crea una complicidad particular entre el niño y uno de los padres, que se pone a compartir cada vez más su desconfianza con respecto a los demás. Esta complicidad puede conducirles a un verdadero delirio a dos. En ese caso es necesario recurrir a una intervención exterior, a veces contra su deseo.

96. Mi hijo escucha voces. ¿Es esquizofrénico?

Dos grandes manifestaciones de los trastornos psiquiátricos severos, llamados trastornos psicóticos, traducen una importante ruptura con la realidad: las alucinaciones, es decir, el hecho de escuchar voces que no existen, y el delirio. Estos dos trastornos pueden ser independientes o asociarse.

Las alucinaciones son muy a menudo auditivas. Son voces que cree escuchar el adolescente y que siente, o como si proviniesen del exterior, o como si estuviesen situadas en el interior de su cabeza. Las voces exteriores muy a menudo son hostiles y críticas con respecto al adolescente, le lanzan injurias o comentarios desagradables. Llegan a ser generalmente apremiantes, de manera que el adolescente tiene el sentimiento de que le dictan sus actos y sus pensamientos, o de que se los comentan.

Como el delirio, las alucinaciones necesitan una consulta psiquiátrica inmediata y un tratamiento adecuado. Además del hecho de que son el signo de una enfermedad, sus consecuencias pueden ser peligrosas: sus alucinaciones pueden empujar a un adolescente a cometer actos a veces violentos, incluso mortales, hacia sí mismo o hacia los demás.

No siempre es fácil para el entorno detectar las alucinaciones de un adolescente, ya que éste capta a menudo el carácter anormal y no osa hablar por miedo a ser considerado un loco, por falta de confianza en un entorno que puede sentir como hostil si asocia a sus alucinaciones un delirio de persecución, o incluso porque las voces se lo prohíban. Un adolescente que se aísla, que tiene comportamientos bizarros, incluso actitudes de repliegue sobre sí mismo puede hacerlo para ponerse a la escucha de sus voces interiores, y hay que inquietarse. Todo comportamiento francamente anormal e inexplicable, puesto que responde de hecho a una lógica de la enfermedad que no tiene ya nada que ver con la lógica del mundo real, debe igualmente alertar.

Todos los órganos de los sentidos pueden ser instrumento de alucinaciones: también las alucinaciones pueden ser visuales, táctiles, gustativas u olfativas, pero más difícilmente que las auditivas, sobre todo en esta edad.

Como en el caso del delirio, es difícil para los padres admitir que su hijo pueda estar habitado por otro mundo, puesto que, aparentemente, el mundo ordinario parece permanecer. Es importante que sepan que esto es debido a la enfermedad, que el adolescente no puede hacer nada por sí mismo, pero que todo puede volver a ser normal o al menos mucho más tolerable con un tratamiento adecuado. El tratamiento de las alucinaciones con medicamentos psicotrópicos como los neurolépticos está particularmente indicado.

97. Mi hijo tiene trastornos obsesivos compulsivos (TOC). ¿Qué hacer?

Los trastornos obsesivos compulsivos (TOC) se caracterizan por ideas obsesivas que obligan a realizar de manera repetida y compulsiva gestos destinados a conjurar las angustias que crean esas ideas obsesivas. En general, estas angustias tienen por objeto los peligros que podrían abatirse sobre personas próximas de la familia. El adolescente tiene conciencia de que estos peligros son poco realistas, al igual que los rituales que lleva a cabo para calmar su angustia. Pero esto jamás es suficiente para tranquilizarlo.

Las ideas obsesivas que angustian al adolescente giran en torno a la muerte, al pecado, al miedo de causar el mal a las personas amadas, a la contaminación microbiana y a la suciedad, al temor de que sólo la evocación de malos pensamientos pueda conllevar su realización. Este tipo de creencia en un pensamiento mágico que tienen los niños pequeños impregna también a las gentes supersticiosas, que tienen dificultad para aceptar la diferencia entre el pensamiento y el acto. Los rituales realizados por el adolescente que sufre de TOC van destinados a conjurar el peligro. Consisten sobre todo en eliminar lo malo, lo sucio: por ejemplo, rituales de lavarse, rituales que consisten en verificar todo lo que se hace y volver a hacerlo un número de veces determinado, recitación compulsiva de palabras destinadas a anular los malos pensamientos, etc. La lista es larga pero el ritual, sea el que fuere, tiene siempre el mismo objetivo: contrarrestar los pensamientos peligrosos y proteger del peligro a los que se ama. Un adolescente afectado de TOC piensa que el hecho de no llevar a cabo ese ritual podría poner en peligro a las personas que ama. Por ejemplo, si descuidara limpiarse las manos, es decir, si no se las lavara diez veces seguidas, temería dejar arrastrar un microbio sobre el mango de la puerta que, forzosamente, contaminaría a su madre, a su hermano o a su hermana, comportando su eventual muerte. Además del miedo a la muerte, es a veces la sexualidad la que está en el corazón de estos temores.

El adolescente que sufre de TOC, a diferencia de un adolescente afectado por el delirio, reconoce el carácter absurdo de estas ideas, pero… no puede impedir temer los efectos negativos y la realización mágica, si no se fuerza a cumplir el trabajo de los rituales. No sólo no puede impedírselo, sino que esto no es suficiente y la duda se insinúa: el ritual no ha sido bien realizado, es necesario repetirlo una vez y otra, y así continuamente. Esto puede tomar tales proporciones, incluso se repite el ritual durante horas enteras, que el adolescente en cuestión vive un verdadero infierno, y se prohíbe con su comportamiento toda vida normal.

Los TOC pueden aparecer desde la infancia pero cobran toda su amplitud en la adolescencia. Se acompañan de manifestaciones ansiosas y depresivas y sobrevienen en niños y adolescentes preocupados por hacerlo bien, muy concienciados y perfeccionistas, inquietos por las posibles consecuencias de sus actos, preocupados por la muerte y las cuestiones religiosas. Obedientes, respetuosos, siempre dispuestos a excusarse, sin embargo, a veces pueden mostrarse groseros y agresivos, especialmente si alguien intenta limitar sus rituales.

Los medicamentos depresivos pueden aliviarles, pero es importante ayudarles psicológicamente por medio de una psicoterapia a la vez individual y familiar, ya que existen a menudo, en uno de los padres, manifestaciones obsesivas más o menos discretas, lo que hace pensar que no es imposible que factores genéticos estén implicados. En ese sentido el hecho de que, en el seno de la familia, uno u otro de los padres manifieste preocupaciones ansiosas respecto al hijo y una necesidad de controlar lo que hace, por el miedo constante a que haga tonterías o a que se haga daño, favorecen la aparición de los TOC. Es como si el hijo, desde su más tierna edad, estuviera parasitado por esta ansiedad de los padres y buscara librarse de esta intrusión colocando, con sus rituales, fronteras destinadas a protegerlo contra esta invasión. Pero, al mismo tiempo, siempre hay miedo de hacer daño a los que se ama, como si presintiera lo que puede tener de agresivo su deseo de desprenderse del control de la ansiedad de los padres. Por eso no sólo es necesario recurrir a una ayuda exterior para curar a un adolescente que sufre de TOC, sino que sus propios padres tengan a menudo necesidad de acompañarlo en este proceso.

98. Mi hija tiene fobias. ¿Cómo hablarlo con ella?

Llamamos «fobia» al miedo irracional de situaciones, objetos, personas o animales particulares. Las fobias pueden ser muy localizadas –el miedo a las arañas, por ejemplo– o mucho más amplias –el miedo a las masas, a los contactos con personas nuevas. Las fobias son muy frecuentes, pocas personas no las han sufrido en un momento u otro de su vida. Forman parte del desarrollo normal del niño y desaparecen a menudo más tarde, pero pueden reaparecer y adoptar formas nuevas y más importantes en la adolescencia. Contrariamente a los TOC (trastornos obsesivos compulsivos), las fobias afectan más a las chicas que a los chicos.

Cuanto más localizadas están las fobias, menos molestas son, ya que tienen poca repercusión en la vida social. Es el caso de las fobias más corrientes (conciernen a los pequeños animales, por ejemplo). Otras fobias igualmente frecuentes, como la fobia a los espacios cerrados (llamada claustrofobia) son más molestas. Las fobias más apremiantes son las fobias extendidas, como la de miedo a la oscuridad, a las masas, al teléfono, a contactos con personas desconocidas. Pueden constituir una dificultad importante para las relaciones sociales y contribuir a aislar al adolescente que las sufre. Se ha de tener en cuenta que cuanto más se cede a la fobia, más se acentúa.

La fobia es una de las manifestaciones de la angustia que, en lugar de permanecer vaga e indeterminada, cristaliza en un objeto o en una situación. La fobia adoptará, pues, un carácter diferente según la manera en la que la persona proyecta su angustia al exterior de sí misma y la manera en la que ésta se focaliza. Cuanto menos se focalice en un objeto preciso más molesta será, pero, paralelamente, cuando menos se proyecte, más riesgo se corre de que sea invasora.

La angustia puede también permanecer centrada sobre el mismo sujeto sin fijarse en un contenido preciso, que va de la ansiedad crónica hasta una angustia poco localizable y más o menos intermitente que se manifiesta a veces por fenómenos físicos tales como tener un nudo en la garganta, sensación de peso y de opresión en el pecho o al nivel del plexo solar, etc. Las angustias que están centradas en el sujeto pueden incluso adoptar otras formas: el miedo a padecer anomalías corporales, llamada «dismorfofobia», el miedo a enrojecer en público, llamada «eritrofobia», el miedo a coger una enfermedad, llamada «nosofobia». Pueden también manifestarse en lo que llamamos las fobias de impulsión, es decir, el miedo a no poder controlarse: miedo a arrojarse al vacío (vértigo), miedo a los instrumentos puntiagudos (cuchillos, tijeras) ligado a menudo al miedo de hacer daño a sus hijos...

Cuanto más centradas están las angustias sobre el sujeto mismo, su cuerpo, sus pensamientos, más se aproximan a los TOC, con los cuales están generalmente asociadas. El sujeto intenta controlarlas por medios tales como el rumiar obsesivo y los rituales. Cuando, por el contrario, el miedo se exterioriza y se proyecta, se controla evitando el objeto o la situación que la genera.

Cuando la angustia no puede ser controlada, se exterioriza bajo la forma de crisis y de lo que llamamos ataques de pánico, ataques que expresan el sentimiento del sujeto de estar desbordado, no haciendo más que acrecentar la angustia. La angustia tendrá, pues, una tendencia natural a reforzarse a sí misma.

¿Pero, de dónde viene? Es preciso saber que la angustia se organiza, se expresa de forma diferente en función del clima afectivo y de los vínculos que unen al niño con su entorno, así como a los acontecimientos, especialmente traumáticos, que pueden sobrevenir durante el desarrollo de la personalidad del niño y del adolescente, o incluso después.

Las situaciones de estrés repetidas son susceptibles de generar reacciones ansiosas que pueden llegar a ser una verdadera forma de ser. Pero incluso sin esto, un desarrollo normal confronta inevitablemente al niño con situaciones en las que sus necesidades no son satisfechas, especialmente la separación con las personas a las cuales está unido. Este apego se constituye desde las primeras semanas de la vida para terminar en el reconocimiento diferenciado de sí mismo y de las otras personas que lo rodean, en particular su madre. Todo niño, entre los cinco y los diez meses, se ve afectado por lo que llamamos «el miedo al extraño»: se pone a llorar ante cualquier figura que le sea desconocida y se refugia en los brazos de su madre.

Este miedo desaparece espontáneamente, pero no las angustias de separación ni las inquietudes. El niño tiene conciencia de experimentar sentimientos ambivalentes de amor y de agresividad con respecto a una misma persona, a su madre en particular. Estos sentimientos le hacen temer perderla o, al menos, perder su amor. Ya no puede como antes separar lo bueno, atribuido a su madre, de lo malo, proyectado sobre quien era extraño a ella. Este mecanismo de escisión, que no dejaba lugar para el compromiso, se manifiesta como una tentación a la cual recurren para protegerse las personas que sufren un sentimiento de inseguridad o que tienen dificultades en aceptar su ambivalencia.

Más tarde, poco a poco, el niño adquiere seguridad y confianza en sus capacidades para gestionar la separación. Toma conciencia de que sus movimientos de cólera hacia las personas que ama no son «peligrosos». Pero los conflictos de toda clase que pueden surgir en el seno de la familia serán otras tantas ocasiones de reanimar los temores ligados a la pérdida y a la ambivalencia de los sentimientos. Sus antiguos miedos (miedo a la separación que se manifiesta, por ejemplo, en el momento de acostarse) progresivamente serán reemplazados por miedos aparentemente más justificados, miedo a la oscuridad, miedo a los animales grandes, miedo a los ladrones, etc. Estos miedos «realistas» se trasforman generalmente en ciertas fobias, las más frecuentes (miedo a los animales pequeños) son las que subsisten como cicatrices de las angustias primitivas del niño.

Pero los niños más vulnerables, es decir, aquellos que no han conseguido adquirir una seguridad y una confianza suficientes, tendrán dificultades para superar sus angustias por sus propios medios. Reclamarán sin cesar el auxilio de sus padres, hasta crear una situación de fuerte dependencia, y lamentándose de fobias que por eso mismo se instalarán.

La persona fóbica busca proyectar en el exterior, para controlarlos, miedos que son en realidad interiores; desarrollando así una gran vigilancia respecto de un mundo que considera que está lleno de posibles peligros. Esto puede llegar a ser muy apremiante, no sólo para ella misma, sino también para su entorno, que constantemente solicita.

Los padres deben ser conscientes que tras el miedo y la fobia se esconden siempre deseos cuya intensidad hace temer al adolescente que sean peligrosos, que lo desborden. Habrá que domesticarlos para temer menos las consecuencias, y sus padres deben ayudarle a valorarlos.

La fobia en sí misma no es una enfermedad: es una manera de disponer sus contradicciones internas. Pero no hay que dejarse encerrar. Para eso, la psicoterapia es un recurso posible, que no excluye, sin embargo, la ayuda temporal de medicamentos psicotrópicos que permitan aligerar el peso de las coacciones emocionales. Porque una angustia incontrolada paraliza el pensamiento y la acción, y, antes que nada, es de eso de lo que hay que preocuparse.

99. ¿Qué hacer si es anoréxica?

Alrededor de una chica de cada cien desarrolla una anorexia mental en el curso de su adolescencia, contra un chico sobre mil. La anorexia es un trastorno del comportamiento alimentario específico en la adolescencia. A menudo debuta con los primeros signos de la pubertad, o hacia los 16-17 años, en el momento de los últimos años del instituto, cuando se perfilan las perspectivas de estudios superiores y el de la separación con el medio familiar.

Se la llama «anorexia mental» porque no se le encuentran causas orgánicas y parece ser la respuesta que encuentran a una situación de estrés psicológico chicas jóvenes vulnerables, muy preocupadas por su imagen, ávidas de gustar y de tener éxito, pero poco seguras de ellas, perfeccionistas, siempre insatisfechas de ellas y de sus resultados.

Es fácil de reconocer en sus manifestaciones más típicas: una adolescente activa, brillante, emprendedora se repliega brutalmente sobre sí misma, se muestra ensimismada, irritable, luego se pone a adelgazar de manera espectacular. No come más, no puede quedarse quieta, practica frenéticamente toda clase de actividades físicas, está obsesionada por su peso y su apariencia física, se encuentra siempre demasiado gruesa. Muy rápidamente, sus reglas, si las tiene, se interrumpen.

En algunas semanas, su adelgazamiento alcanza más del 20% de su peso inicial. Continúa inexorablemente hasta alcanzar a veces el 50% del peso normal de la adolescente. A pesar de todos estos signos, la realidad de la anorexia y su gravedad son fácilmente desconocidas por el entorno. La aparente lucidez de la joven, su inteligencia, su éxito escolar, las justificaciones que encuentra a su estado, sus promesas de alimentarse de nuevo dan ilusiones y llegan a convencer a sus padres, y a menudo también al médico consultado, de que todo esto se arreglará espontáneamente.

No obstante, sin hablar del adelgazamiento anormal, incluso otros signos que muestran con evidencia que no se trata de un simple régimen de adelgazamiento deberían alertarles de que la adolescente está atrapada en un proceso que ya no controla. Ella no ve la gravedad de su estado físico, se juzga siempre demasiado gruesa y no sólo no se inquieta, sino que está atormentada por el miedo de engordar y el deseo de continuar adelgazando.

Paradójicamente, no piensa más que en el alimento, colecciona recetas, quiere hacer comer a los otros y prepara las comidas para su familia. Pero las suyas duran horas: escoge los alimentos, los mastica sin fin, obliga a su madre a desterrar los manjares considerados demasiado calóricos, etc. Simultáneamente, desarrolla una hiperactividad considerable para evacuar el demasiado lleno de las calorías absorbidas: marcha durante horas, hace gimnasia, salta sobre un pie, sube y baja las escaleras cincuenta veces seguidas… Su vida es un verdadero calvario en la que todo está vigilado, dominado, controlado. Se mata literalmente a trabajar, rechaza todo esparcimiento y parece tener pánico por todo aquello que le podría proporcionar placer.

Las adolescentes anoréxicas sufren a menudo manías e incluso de TOC (cf. pregunta 97, p. 217), así como trastornos del sueño, sobre todo cuando su forma de anorexia es llamada restrictiva, es decir, cuando rechazan absolutamente alimentarse. Otras adolescentes anoréxicas tienen también accesos bulímicos, fuente de angustia y de ideas depresivas, que compensan inmediatamente vomitando, tomando laxantes en dosis masivas y por su hiperactividad. No es raro que estos accesos bulímicos, que tienen lugar a escondidas, se acompañen de robos de comida o de objetos.

Cuando la anorexia es ignorada, se decide recurrir a una consulta especializada tardíamente, en la mayoría de los casos contra su deseo, mientras que el adelgazamiento ya ha colocado a la adolescente en peligro vital. Ahora bien, en ese estadio de la enfermedad, los riesgos para la adolescente son importantes: el 10% de las anorexias muere sea de desnutrición, sea de una enfermedad infecciosa fulminante, sea, más raramente, a continuación de una tentativa de suicidio. No es el único riesgo al que se exponen: un adelgazamiento prolongado puede tener efectos e incluso consecuencias severas a largo plazo, especialmente sobre los huesos y los dientes (descarnamiento precoz, osteoporosis).

La anorexia, igualmente, tiene importantes consecuencias psicológicas, ya que actúa como una verdadera droga. Cuanto más se encierra la adolescente en su comportamiento, mayores dificultades tiene en salir, obligándose siempre a reforzar sus restricciones alimentarias. La anorexia se convierte entonces en crónica. La adolescente impone no solamente a su cuerpo un régimen restrictivo, de manera que borra toda traza de feminidad, sino al conjunto de sus intereses y sobre todo a su vida afectiva, que se empobrecen. La anorexia se extiende, más allá de la comida, a todos los apetitos y a todos los deseos.

A pesar de estos riesgos, con un tratamiento la mayoría de las adolescentes víctimas de anorexia recuperará un peso y una alimentación normales o próximos a la normalidad; la regla volverá más o menos rápidamente. Su retorno espontáneo (es decir, sin prescripción de hormonas) es probablemente el mejor signo de curación, lo que no impide que las dificultades psicológicas más o menos importantes persistan en un buen número de casos.

¿Por qué una adolescente es víctima de anorexia? Un comportamiento tan complejo como la anorexia mental no surge de una única causa; es el resultado de una pluralidad de factores a la vez biológicos, psicológicos y del entorno.

En el plano psicológico, las adolescentes que desarrollan este tipo de comportamiento asocian a un conjunto de deseos y de ambiciones intensas una mala estima de sí mismas, una duda sobre sus capacidades y su valor. Su sentimiento de inseguridad las vuelve particularmente dependientes de la mirada de los demás: buscan gustar a su entorno, su aprobación y se preocupan más de lo que pensarán de ellas que de su satisfacción y de su expansión personales. Llegan a no saber exactamente cuáles son los centros de interés que les son propios: lo que buscan ante todo es ser admiradas, y también por eso buscan ser las primeras. No soportan, pues, ni los conflictos ni las críticas.

En estas condiciones se concibe que pueda existir una distancia considerable entre la apariencia que ofrecen de ellas mismas estas jóvenes y la realidad de lo que viven. Han podido ser niñas emprendedoras y seguras de sí mismas pero, con los conflictos ligados a la pubertad, revelan ser adolescentes indecisas, incapaces de hacer la mínima elección sin una opinión exterior, desmoronadas al primer fracaso. Únicamente encuentran un sentimiento de fuerza y una cierta estima de sí mismas en esta conducta de ascesis que es la anorexia, en el rechazo de sus apetitos, la evitación de todo placer y la coacción de la privación.

A nivel del entorno, ciertos contextos familiares parecen favorecer la aparición de la anorexia. Si el niño siente que una ansiedad importante emana de sus padres, puede vivir en el temor permanente de un peligro tanto más inquietante cuanto más indeterminado sea: en ese caso tendrá tendencia a reprimir sus deseos, sobre todo si los siente como violentos, y a someterse a los deseos de los demás en detrimento de los suyos. Ese clima de ansiedad conlleva igualmente comportamientos de control, de verificación y de dominio que se oponen a la libertad y al placer compartido. Como eso les reasegura, los padres ansiosos valoran a menudo el aprendizaje y el esfuerzo, y llevan al niño a creer que hay que actuar siempre mejor, y que debe hacerlo para ser amado. Paralelamente, su ansiedad les lleva a desconfiar de sus emociones, piensan que deben ser controladas por ellos mismos para que no les desborden: limitan, pues, sus manifestaciones de afecto y de ternura, y se mantienen físicamente a distancia de su hijo. Estos niños, imitándoles, comienzan a reprimir sus propias emociones hacia sus padres; la falta que resienten contribuye a volverlos particularmente reactivos con respecto a sus padres, y a los demás en general. Se sienten abandonados si no se les mira, pero tienen el sentimiento de una intrusión y de una invasión si nos acercamos demasiado a ellos. Hay una fuerte analogía entre sus relaciones afectivas y lo que será su relación con la comida en el curso de la anorexia: son relaciones de «todo o nada», que oscilan entre osmosis fusional y autosuficiencia, como entre bulimia y anorexia.

Por otro lado, nos hemos preguntado cuáles son los efectos de la moda y de la valoración de maniquís filiformes, a menudo andróginos en la anorexia. Es un factor que puede reforzarla, pero cuyo impacto no hay que exagerar. Encontramos trazas de la anorexia mental en todos los tiempos, y ha sido reconocida como un trastorno psíquico desde el final del siglo XIX, época en la que la moda era la redondez en las mujeres. Además, querer estar delgada no significa que se vaya a convertir en anoréxica. Al contrario, las presiones ligadas al éxito social, al culto de los resultados y al miedo al fracaso pueden contribuir, tanto en la familia como en el adolescente, a generar un estrés y una angustia de no estar a la altura que están en la base de los comportamientos anoréxicos.

Pero ya sean biológicos, psicológicos o familiares, estos factores no son específicos de la anorexia y no predicen su llegada. Su asociación crea todo lo más las condiciones de una vulnerabilidad propicia a la aparición de dificultades en la adolescencia, entre las cuales se encuentran la anorexia y la bulimia. Sin embargo, la mayor parte de los adolescentes y las adolescentes vulnerables no presentarán dificultades particulares, incluso se servirán de sus debilidades para tener éxito de forma brillante, desarrollando conductas que sirven de contrapeso, a veces excesivas pero revalorizantes, haciéndolos más seguros de sí mismos y menos dependientes de los demás.

Es en la pubertad cuando se decide todo para los adolescentes afectados de tal vulnerabilidad, ya que ésta genera conflicto en sus relaciones, los confronta a su ambivalencia con respecto a sus padres y los obliga a tomar una nueva distancia en relación a ellos que les obliga a evaluar la medida de sus propios recursos y los reenvía a la mala imagen que tienen de sí mismos. Para reasegurarse, les haría falta aproximarse afectivamente a sus padres, pero sienten estas ganas como una amenaza de dependencia y de pérdida de identidad. Piensan que lo único que les pertenece de verdad es su rechazo, su capacidad de autodestrucción; paralelamente, su estado obliga a su entorno a ocuparse siempre más de ellas. Un comportamiento anoréxico tiene pues una función de compromiso; asegura la permanencia del vínculo con los padres al mismo tiempo que se les mantiene a distancia por su impotencia para ayudar a la adolescente, que no puede prescindir de ellos ni aprovechar lo que le aportan. Esta insatisfacción y esta imposibilidad del placer compartido hacen del comportamiento anoréxico un círculo vicioso.

Los conflictos entre los padres, las separaciones, la depresión o la enfermedad de uno de ellos pueden constituir factores agravantes susceptibles de reforzar la angustia de la joven, sobre todo si uno de los dos padres busca, sin muchas veces darse cuenta, captar en su provecho el afecto de la hija. Puede ser el padre en una relación en la que su admiración por su hija, su proximidad afectiva y a veces física crean una atmósfera llamada «incestual», es decir, sin dimensión sexual propiamente dicha, contrariamente al incesto y a los abusos sexuales, pero suficientemente ambigua para perturbar a la adolescente y colocarla en una situación de rivalidad insoportable con su madre. O puede ser la madre que busca en su hija la comprensión, el apoyo y el afecto que no encuentra en su relación conyugal.

Los acontecimientos traumáticos de la infancia y de la adolescencia pueden favorecer igualmente la aparición de la anorexia: decepciones sentimentales o decepciones que vienen de los padres, duelos, fracasos y, evidentemente, abusos sexuales. La partida de un hermano o una hermana mayor, hecho banal y que pasa fácilmente desapercibido, puede romper el equilibrio que aportaba a la adolescente la relación que mantenía con ellos. Sin abandonar la casa, a veces es suficiente que este hermano o hermana entable un vínculo amoroso para provocar esta pérdida de confianza de la adolescente en ella misma.

Teniendo en cuenta estos diferentes factores, los objetivos del tratamiento de la anorexia son triples:
- ◆▶ tratar el trastorno de la conducta alimentaria
- ◆▶ tratar los trastornos de la personalidad
- ◆▶ tratar las disfunciones familiares

Tratar el trastorno de la conducta alimentaria es el paso priori-tario, ya que tiene graves consecuencias físicas, a veces mortales, una tendencia a reforzarse a sí mismo y efectos psicológicos nega-tivos. El tratamiento reposa sobre un contrato de peso: la pacien-te, sus padres y el médico se ponen de acuerdo en un aumento re-gular del peso por los medios más naturales posibles. En ciertos casos, la paciente debe ser hospitalizada y separada totalmente de su medio habitual (ni visitas, ni correo, ni teléfono) hasta que haya alcanzado el peso convenido, y retoma enseguida progresiva-mente el contacto con su familia hasta que salga definitivamente cuando el contrato del peso al cual se ha comprometido haya sido cumplido por completo. Únicamente se le alimenta por sonda gástrica si la desnutrición es verdaderamente muy importante y le hace correr un peligro mortal. Existen en los hospitales servicios especializados en este tipo de tratamientos: articulan medidas con un marco dietético y aproximaciones psicoterapéuticas. Las recaí-das son frecuentes y forzosamente no son el signo de un fracaso: es necesario retomar el protocolo desde el principio. El interés del contrato y de una eventual hospitalización radica en poner límites a la acción alienante del comportamiento anoréxico: de hecho, la coacción exterior alivia a la adolescente de las coacciones interio-res que la fuerzan a adoptar este comportamiento. Paradójicamen-te, esta coacción es, pues, un factor de liberación, incluso si provo-ca la cólera y la oposición de la adolescente. Más vale esta cólera exteriorizada que las coacciones interiores que se impone a sí misma.

Tratar los trastornos de la personalidad es indispensable si se quiere actuar en profundidad sobre las dificultades que son causa de un comportamiento anoréxico. Las psicoterapias son uno de los medios de acción privilegiados. Sus modalidades están en función, a la vez, de la formación del terapeuta y de la personalidad de las pacientes. Se trata de restaurar la confianza y la autoestima de la adolescente, eventualmente a través de actividades artísticas, las terapias de grupo se muestran a menudo más aceptables al principio y, por lo tanto, más benéficas para ella que un cara a cara con el terapeuta. También consiste en tratar los síntomas depresivos o ansiosos asociados a la anorexia.

Las disfunciones familiares preexisten o emanan del trastorno, juegan un papel más o menos importante en su mantenimiento. Tratarlas exige al menos que los padres y la adolescente consulten a un psicoterapeuta, y a veces que inicien una verdadera terapia familiar que les ayudará a la vez a no centrarse en los síntomas alimentarios, a restaurar una comunicación seguramente difícil y de esa manera hacer que cada miembro de la familia se sienta dotado de una identidad propia que no esté amenazada por una dependencia demasiado fuerte con respecto a los otros miembros. Integrar un grupo de discusión de padres de hijas anoréxicas puede igualmente ser benéfico.

Estos diferentes tratamientos están destinados a complementarse, y no son métodos exclusivos. Lo importante es que, desde el primer contacto, su terapeuta muestre a la paciente que algo la impulsa a restringir sus apetitos –no únicamente alimentarios– y a hacer fracasar una parte al menos de sus deseos y de sus potencialidades. Porque las consecuencias a largo plazo de la anorexia son mucho más psicológicas que físicas. Se trata pues de ayudar a la adolescente a desarrollarse plenamente sin desequilibrio, es decir, sin que uno de los ámbitos de su vida (por ejemplo, el escolar) no pueda desarrollarse más que en detrimento de otro (su alimentación, su cuerpo).

Conviene pues permitir a estas pacientes volver a encontrar el placer de implicarse en lo que emprendan. Curar la anorexia mental no consiste simplemente en conseguir que retomen su peso, incluso si es una condición necesaria, sino también en que puedan permitirse progresivamente no reprimir más aquello que les apetece, intercambiar y compartir. Solamente así se evitará que cristalice en la comida su problema de dependencia afectiva.

100. ¿Qué hacer si es bulímica?

La bulimia es la pareja de la anorexia. Pero, si la anorexia se ve, la bulimia pasa fácilmente desapercibida, ya que el peso permanece normalmente en los límites de lo normal. Toda anoréxica vive en la obsesión de llegar a ser bulímica, mientras que toda bulímica sueña con llegar a ser anoréxica: más de una adolescente anoréxica de entre dos llegan a ser bulímicas en un momento u otro de su enfermedad, pero una adolescente bulímica no se convierte más que, excepcionalmente, en anoréxica si no lo ha sido nunca.

Aunque la bulimia, como la anorexia, concierne esencialmente a las chicas, los chicos bulímicos son tres veces más numerosos que los chicos anoréxicos. La bulimia empieza más tardíamente que la anorexia, al final de la adolescencia y de los estudios de bachillerato, hacia los 18-20 años. Se considera que es de dos a tres veces más frecuente que la anorexia, pero todo depende de la definición que se le dé: se define generalmente por más de dos crisis por semana en una duración de varios meses. Cuando la frecuencia es menor y los periodos bulímicos son breves y espaciados, se habla de «bulimia atípica», forma de bulimia mucho más extendida que la precedente.

Ser bulímico no consiste ni en hacer excesos en la mesa como los grandes comedores ni en picar entre las comidas. Se caracteriza por verdaderos accesos de glotonería. El comportamiento bulímico se desarrolla según un escenario relativamente estereotipado, incluso si la intensidad y la frecuencia de la bulimia son muy variables. Su desencadenamiento brutal, su carácter imperioso, su desarrollo de una sola pieza hasta el malestar físico o el vómito, con ingurgitación masiva, casi frenética, de una gran cantidad de comida le confiere un carácter de crisis. Un acceso bulímico se realiza, en general, a escondidas, de una manera totalmente independiente de las comidas. Sobreviene a menudo al final de la jornada, y sucede a la tensión del trabajo; puede desprenderse de una contrariedad de todo tipo y responde frecuentemente a un sentimiento de soledad que la bulímica agrava aislándose para comer, permaneciendo luego aislada después de la crisis por el asco a sí misma. No es extraño que se dé la posibilidad comprando la comida necesaria.

Un acceso bulímico se desarrolla de manera casi ritualizada. La persona que sufre de bulimia ingiere rápidamente y sin ninguna pausa cantidades masivas de alimentos elegidos en razón de su riqueza calórica y, sobre todo, de su carácter «empachoso», primando la cantidad sobre la cualidad, hasta sobrepasar a menudo las 10.000 calorías. Demos un ejemplo concreto: un bulímico puede ingerir de una sola vez en desorden y sin interrupción dos barras de pan, 500 g de mantequilla, uno o dos paquetes de pasta, diez ensaimadas y un paquete de chocolate. Un acceso de bulimia puede ir seguido de vómitos provocados pero que, con el tiempo, llegan a ser casi automáticos, y de otro acceso si queda todavía comida al alcance de la mano. Las bulímicas pueden tener placer en comer, sobre todo las que no se provocan el vómito, pero el carácter urgente de la necesidad de engullir es más prioritario que la búsqueda de satisfacción; los alimentos son engullidos más que masticados. Un acceso de bulimia puede ir seguido de un estado de torpeza, de flotamiento, pero también de violentos dolores físicos (y en particular de dolores abdominales). A menudo causa sentimientos de malestar, de vergüenza, de asco de sí mismo, remordimientos y reproches que se dirigen a uno mismo.

Las preocupaciones corporales (miedo a engordar y a llegar a ser deforme) a menudo pueden más. Pero, incluso si una persona bulímica es siempre consciente del carácter anormal de su comportamiento, esto no impide en nada volver a comenzar más tarde o al instante después de haberse provocado el vómito. Para no engordar, busca controlar su peso, la mayoría de las veces provocándose vómitos, pero también usando y abusando de laxantes, de diuréticos, de «cortar el hambre», lo que no deja de tener consecuencias. Puede también practicar intensiva y frenéticamente diversas actividades físicas, sobre todo si se trata de una antigua anoréxica.

La frecuencia de las crisis de bulimia puede variar de uno o dos accesos por semana a más de quince por día; son regulares, o intermitentes, y sobrevienen en periodos de varias semanas o varios meses.

No es raro que el comportamiento alimentario en su conjunto esté perturbado (picar entre comidas y/o prácticas periódicas de ayuno, regímenes dietéticos y reglas de alimentación más o menos extravagantes). Las pacientes que en un momento u otro han sido anoréxicas expresan a menudo un interés que las invade, más o menos obsesivo, por todo lo que concierne a la comida, la cocina y la dietética.

La apariencia física puede ser en muchos casos objeto de preocupaciones desmesuradas. Por el contrario, no hay, como en la anorexia mental, distorsión real de la percepción de la realidad del cuerpo. En cuanto al peso, en la mayoría de los casos está próximo a lo normal, incluso un poco inferior en la definición de la bulimia en sentido estricto. Sin embargo, también encontramos conductas bulímicas en los obesos o pacientes con una sobrecarga ponderal moderada.

Los trastornos asociados a la bulimia son diversos (ansiedad crónica, intolerancia a la soledad que se acompaña paradójicamente de una tendencia al repliegue sobre sí mismo, gran susceptibilidad, impulsividad exagerada, cleptomanía, tendencias suicidas y adictivas, etc.), pero hay dos particularmente asociados: podemos considerar que no existen realmente conductas bulímicas sin episodios depresivos y una cierta inestabilidad del humor.

La prolongación de la bulimia tiene consecuencias a menudo importantes en la vida social y afectiva, que se ve afectada. Así, aunque las conductas bulímicas no representan los mismos riesgos vitales que las conductas anoréxicas, sus consecuencias físicas y psicoló-

Las complicaciones somáticas ligadas a la bulimia no son raras, debido normalmente a las consecuencias de los vómitos (deterioro del estómago y de los riñones, ulceraciones, incluso hemorragias de las vías digestivas altas, etc.). Pero, como en la anorexia mental, las complicaciones más frecuentes y las más preocupantes a largo plazo son la osteoporosis (afectación de la masa ósea y riesgo de fracturas espontáneas).

La evolución de los comportamientos bulímicos parece paradójica: pueden muy fácilmente instalarse en el tiempo y organizar a su alrededor la vida de la paciente y, a menudo, la de su entorno, pero igualmente pueden desaparecer brutalmente después de un acontecimiento (un nuevo encuentro o un embarazo, por ejemplo).

No hay que olvidar nunca que los trastornos del comportamiento alimentario no son más que una parte de la enfermedad: no deben esconder los trastornos de la personalidad a los que están ligados y, especialmente, las dificultades de los sujetos bulímicos para hacer frente a sus responsabilidades, que ponen en peligro su futuro. Podemos incluso considerar que representan el único problema verdadero de fondo de estos trastornos puesto que, sin manifestarse directamente, se expresan indirectamente por los trastornos alimentarios que provocan. Desgraciadamente, el trastorno del comportamiento alimentario puede por sí mismo inducir consecuencias patológicas independientes de los factores psicológicos que han favorecido su aparición, que tendrán tendencia a reforzarse y a organizar el desarrollo de la personalidad de quien los sufre. Estas consecuencias son particularmente visibles en la diferencia que podemos constatar entre la apariencia que ofrecen las víctimas o antiguas víctimas de la bulimia (buena inserción profesional, matrimonios y embarazos frecuentes) y la realidad de su vida íntima.

¿Por qué una adolescente es víctima de bulimia? Por razones muy parecidas a las de la anorexia mental (cf. pregunta 99, p. 223). Sin embargo, el contexto familiar es a menudo ligeramente diferen-

Respuestas a 100 preguntas sobre la adolescencia

te, menos organizado, y hace menos referencia a ideales y reglas estrictas.

El tratamiento de la bulimia tropieza con muchas dificultades, como, por otro lado, todos los trastornos del comportamiento ligados a una dependencia; hay que distinguir el tratamiento del trastorno del comportamiento mismo y el de los trastornos de la personalidad subyacentes.

En lo que concierne al trastorno del comportamiento, es más fácil acabar con una conducta de privación que con una conducta de exceso. La cooperación de las pacientes es muy a menudo cambiante, al mismo tiempo que su fidelidad a un terapeuta.

La hospitalización raramente es necesaria, salvo en casos de gran desarraigo del paciente o de estados depresivos inquietantes; e incluso, si tiene una acción benéfica a corto plazo, es ineficaz a largo plazo. Un tratamiento con medicamentos puede revelarse útil, aunque sea en el tratamiento de la depresión y de los trastornos del humor, incluso si hay que precisar la apreciación de su eficacia. Una aproximación nutricional y dietética es, por el contrario, casi siempre indispensable.

Iniciar una psicoterapia ha sido tradicionalmente recomendado, especialmente en ciertas fases de la evolución de la bulimia, para tratar los trastornos de la personalidad subyacentes al trastorno del comportamiento alimentario. No es exclusiva de otras mediaciones tales como se ha podido presentar al evocar los otros trastornos del comportamiento del adolescente.

Las terapias de grupo, sobre todo si están gestionadas por las mismas pacientes, pueden dar resultados apreciables. Las terapias familiares son sobre todo interesantes en las formas debutantes de la bulimia en las adolescentes. De todas maneras a esta edad, el trabajo terapéutico debe necesariamente ser efectuado conjuntamente con los padres.

Lo que deberá tratar con prioridad una terapia es la desinserción social progresiva que afecta a la mayoría de las adolescentes bulímicas, y su propensión a abandonar todo interés y todas las investiduras personales.

Índices

Índice analítico

depresión, 20, 40, 42, 53, 56, 69, 72, 94, 115, **118,** 155, 157, 173, 180, 192, **203-204,** 207, 208, 209, 228, 235

deseo, 37, 39, 57, 61, 63, 71, 86, 91, 92, 93, 119, 141, 164, 177, 179, 181, 199, 205, 215, 219, 224

diálogo, 58, 59, 96, 102, 118, 126, 170, 208

diferencia, 50, 51, 52, 53, 65, 79, 85, 87, 88, 89, 90, 96, 111, 112, 117, 140, 151, 157, 176, 177, 178, 188, 194, 197

dinero, 105, 166, 178, 179, 210, 211, 212

distancia, 21, 24, 32, 36, 59, 61, 71, 82, 84, 96, 102, 110, 112, 113, 119, 132, 141,146, 147, 148, 151, 161, 171, 172, 180, 182, 209, 226, 228

dolores corporales, 42, 232

dominio, 23, 34, 35, 51, 60, 91, 100, 108, 117, 119, 133, 135, 150, 153, 154, 160, 226

duda, 9, 31, 34, 72, 99, 101, 120, 136, 188, 189, 198, 218, 225

droga, 33, 119, 169, 173, 193, 215

E

escuela, 69, 109, **150, 153,** **155,** 190, 195, 212, 213

educación, 37, 67, 78, 87, 96, 102, 106, 107, 109, 117, 121, 137, 138, 183, 187, 195, 196, 197, 209

egoísmo, 65-66

emociones, 24, 33, 50, 55, 57, 62, 64, 67, 78, 82, 92, 107, 108, 112, 116, 169, 170, 175, 176, 204, 208, 226

enamorarse, 164

enfermedad psiquiátrica, 40, 194, 203, 216, 217

enojo, 33, 121

enrojecimiento, 55, 62, 176, 220

envidia, 104, 105, 131, 132

escarificación, 27, 35, 49, 207

esquizofrenia, 40, 182, **216-217**

estrés, 154, 155, 156, 162, 221, 223, 227

exceso, 48, 63, 72, 114, 171, 189, 231, 235

éxito, 19, 34, 39, 52, 65, 70, 120, 145, 146, 147, 148, 152, 174, 186, 187, 190, 193, 223, 227

expansión, 106, 226

expectativa, 34, 60, 71, 102, 110, 111, 112, 161, 164, 165, 170, 177, 187

Índice analítico

F

G

H

I

J

TOC (trastornos obsesivos compulsivos), 72, 217-219, 220, 224

tranquilidad, 40, 41, 129, 155

traumatismo, 42, 67, 81, 93, 134, 198, 208, 213

trabajo escolar, 150, 151

trastornos alimentarios, 151, 234

trastornos de la personalidad, 69, 23, 40, 72, 73, 90, 229, 230, 234, 235

trastornos del comportamiento, 53, 106, 169, 234, 235, 209, 223

trastornos psíquicos, 42, 90, 106, 166, 227

V

vergüenza, 23, 55, 56, 62, 127, 134, 207, 211, 212, 232

videojuegos, 171-173

violencia, 26, 27, 28, 34, 38, 69, 96, 107, 108, 109, 110, 113, 114, 195, 206, 212, 213

vulnerabilidad, 22, 39, 63, 64, 67, 85, 90, 128, 129, 149, 157, 164, 166, 167, 168, 173, 176, 193, 195, 196, 198, 204, 208, 222, 223, 227

Índice de contenidos

Capítulo 3: **LA FAMILIA**

Capítulo 4:   **INTIMIDAD, VIDA SEXUAL Y AMO-ROSA**

Capítulo 5:   **LA ESCOLARIDAD**

Capítulo 6: **EL COMPORTAMIENTO**

Capítulo 7: **EL SUFRIMIENTO**

Próximamente

Título: **Los transtornos psíquicos en la adolescencia**

Autor: **François RICHARD**

Además de psicoanalista, François Richard es profesor de psicopatologia en la universidad de Paris VII-Denis Diderot, en la que dirige el equipo de investigación sobre la adolescencia en el marco de la formación de doctorado en investigaciones en psicopatología y psicoanálisis.

La adolescencia constituye un momento importante en el desarrollo psíquico de un individuo. Este periodo corresponde al cambio puberal que reactualiza el complejo de Edipo infantil bajo la modalidad de conflicto con los padres. La adolescencia se expresa entonces a través de una "crisis" o de una "locura puberal". Los transtornos psíquicos en la adolescencia son pues específicos y circunscritos a esta edad de la vida, están también en el origen de ciertas patologías del adulto.

Esta obra da cuenta de esta problemática mostrando como la adolescencia constituye una encrucijada para el estudio de las categorias de la psicopatología (neurosis, psicosis, funcionamientos límite, patologías de la dependencia) que pueden ser consideradas a través de su carácter evolutivo y su complejidad.

Título: **El adolescente frente a su cuerpo**

Autor: **Annie BIRRAUX**

Annie Birraux es psiquiatra y psicoanalista. Es además asistente en ciencias humanas clínicas en Paris VII en donde dirige la Unidad de investigación sobre la adolescencia.

Se olvida a veces: la adolescencia es primero esta metamorfosis del cuerpo a la cual el niño se encuentra brutalmente confrontado. Su desarrollo físico se transforma; sus representaciones narcisistas ya no le sirven.

Es esta historia del cuerpo en la adolescencia que se pone a describir Annie Birraux: historia íntima, singular, que conduce al adolescente a elaborar estrategias defensivas que lo ponen a veces en peligro. Angustia, anorexia, suicidio son las manifestaciones extremas de un movimiento para reapropiarse de este cuerpo, desde ese momento apto para la creación.

A través de este libro, Annie Birraux nos invita a redescubrir "este adolescente banalizado en nuestro campo social para hacer aparecer lo que nos es tan fácil de negar: la extraordinaria explosión de una adolescencia exitosa".